Gisbert Schulte

# Die Datenschutzgrundverordnung (DS-GVO)

# Ein pragmatischer Lösungsansatz für kleine und mittlere Unternehmen und größere Vereine

Wie kann eine Umsetzung der DS-GVO in der Praxis aussehen?

Tipps und Arbeitshilfen für eine strukturierte Herangehensweise zur Umsetzung der DS-GVO

www.tredition.de

© 2018 Gisbert Schulte

Verlag und Druck: tredition GmbH, Hamburg

ISBN
Paperback:      978-3-7469-4404-3
Hardcover:      978-3-7469-4405-0
e-Book:         978-3-7469-4406-7

## Über den Autor

*Mein Name: Gisbert Schulte, ich bin im Jahr 1970 im Ruhrgebiet geboren. Ich lebe mit meiner Frau und meiner Tochter in einer Stadt in Nordrhein-Westfalen.*

*Beruflich bin ich betrieblicher Datenschutzbeauftragter eines größeren Unternehmens mit rund 2.200 Beschäftigten und beschäftige mich seit fast 20 Jahren mit dem betrieblichen Datenschutz. Daneben bin ich Leiter der Internen Revision.*

*Neben der täglichen Beschäftigung mit den Problemfeldern zur Umsetzung der Datenschutzgrundverordnung (DS-GVO) bin ich als Mitglied im BvD e.V. in einer Fachgruppe tätig.*

*Im Kreis betrieblicher Datenschutzbeauftragter entwickle ich mich derzeit immer mehr zu einem Ansprechpartner in Bezug auf die praktische Umsetzung der DS-GVO im betrieblichen Umfeld. Hieraus ergab sich auch die Idee, dieses Buch zu veröffentlichen.*

*Revisionsseitig bin ich Mitglied im DIIR (Deutsches Institut für Interne Revision e.V.) und CIA1, (Certified Internal Auditor) und CRMA2 (Certification in Risk Management Assurance). Beim DIIR bin ich langjähriges Mitglied in einem überregionalen Arbeitskreis.*

*Aufgrund meiner sehr ausgefüllten Zeit kann ich nicht zusagen, dass ich Ihre E-Mail beantworten werde. Trotzdem gebe ich meine E-Mail-Adresse zur Kontaktaufnahme an. Ich widerspreche an dieser Stelle der Verwendung dieser E-Mail-Adresse für die Zusendung von Werbung oder zur Verwendung für Zwecke der Markt- und Meinungsforschung.*

*Gerne bin ich bereit im Rahmen von Honorar-Vorträgen über meinen Ansatz zu berichten und das eine oder andere Detail zu erläutern oder zu ergänzen.*

### Kontakt: Gisbert-Schulte@web.de

---

[1] Zertifikat des IIA - The Institute of Internal Auditors, Florida, USA
[2] Zertifikat des IIA - The Institute of Internal Auditors, Florida, USA

# Warum noch ein Buch zur Datenschutzgrundverordnung?

*Zur Datenschutzgrundverordnung gibt es mittlerweile sehr viele Kommentare von Juristen, diverse Loseblattsammlungen, Veröffentlichungen der Aufsichtsbehörden für den Datenschutz (insbesondere der DSK), Zeitschriften, Bücher, Arbeitshilfen in Form von Checklisten und ungezählte Meinungsäußerungen im Internet.*

*All diese Veröffentlichungen haben ihren Sinn und sind zum Teil sehr gute, fundierte Fachliteratur. Was meiner Meinung nach fehlt, ist ein systematischer Ansatz für eine pragmatische Umsetzung im Rahmen von mittelständisch geprägten KMU´s und größeren Vereinen. Das Bloße veröffentlichen von Checklisten hilft m.E. nicht weiter.*

*Insbesondere KMU´s und größere Vereine können sich keine große Datenschutzorganisation leisten. Die Fragestellungen zur Umsetzung in der Praxis gehen bei all den oben genannten juristischen Ansätzen unter. Wegen der Übersichtlichkeit spreche ich im Buch von KMU´s. Als Vertreter eines Vereins fühlen Sie sich bitte auch mit angesprochen. In diesem Buch stelle ich dar, wie ein Datenschutzmanagement-System aufgebaut sein könnte und was alles beachtet werden sollte.*

*Ich habe alle hier in diesem Buch aufgeführten Instrumente und Ansätze selbst erarbeitet und mit verschiedenen Datenschutzbeauftragten aus anderen Unternehmen durchgesprochen.*

*Dieses Buch stellt keine juristische Beratung dar und ich erhebe keinen Anspruch auf Vollständigkeit. Ich habe die Inhalte dieses Buches auch nicht mit den Aufsichtsbehörden für den Datenschutz abgestimmt. Ich gebe lediglich meinen persönlichen Ansatz und meine persönliche Meinung wieder. Allerding, das gebe ich zu, halte ich meinen Ansatz für sehr gut und praxistauglich.*

*Sollte ich in diesem Buch einzelne Unternehmen erwähnen ist dies nur beispielhaft gemeint, mit einem humoristischen Augenzwinkern zu verstehen und selbstverständlich kein Angriff gegen diese Unternehmen. Ich erwähne kein Unternehmen, um dieses Bloßzustellen, sondern ausschließlich um Hand des Beispiels ein Thema für den Leser etwas zugänglicher zu beschreiben.*

*Der besseren Lesbarkeit halber verwende ich in der Regel die männliche Ausdrucksform. Dies erfolgt aber nicht aus mangelnden Respekt gegenüber Frauen oder Personen, die sich dem dritten Geschlecht zuordnen, sondern erfolgt ausschließlich aus rein praktischen Gründen.*

# Inhaltsverzeichnis

# Vorbemerkung

*Im Ersten Kapitel des Buches werde ich im Rahmen einer Einführung die für Sie relevanten Artikel der DS-GVO beleuchten. Ich werde jedoch keine juristischen Details oder eine umfassende Interpretation der Datenschutzgrundverordnung abgeben. Dazu gibt es gute und umfassende Literatur und Veröffentlichungen. Ich gebe nur dort, wo es für das Verständnis meines Ansatzes notwendig ist, eine kurze Erläuterung zum jeweiligen Artikel der DS-GVO. Das erste Kapitel dient dazu, Sie als Leser abzuholen.*

*Dieses Buch wendet sich an betriebliche Datenschutzbeauftragte, Geschäftsführer, Vorstände, Unternehmer und ehrenamtliche in Vereinen, die für die Einhaltung der Regelungen der Datenschutzgrundverordnung persönlich verantwortlich sind.*

*Ich werde nur dort Querverweise zu Dokumenten der Aufsichtsbehörden für den Datenschutz oder zu anderen Dokumenten aufnehmen, wenn dies für den von mir gewählten Ansatz sinnvoll erscheint.*

*Die DS-GVO ist bereits seit dem 25.05.2016 gültig. Sie trat aber erst ab dem 25.05.2018 in Kraft. Somit hatten alle Verantwortlichen zwei Jahre Zeit für die Vorbereitung. Diese Zeit wurde von gefühlten 80-90 Prozent der Unternehmen und Vereine nicht genutzt. Es gibt zwar anderslautende Veröffentlichungen zum Umsetzungsstand, diese berücksichtigen m.E. aber nicht die Breite des Mittelstandes, die große Menge der Klein- und mittleren Unternehmen (KMU) und das Vereinswesen.*

*Ich selbst habe erst nach der Veröffentlichung der ersten Checkliste der bayerischen Aufsichtsbehörde für den Datenschutz (BayLDA) vom 26.05.2017 mit der Umsetzung begonnen. Sicherlich, ich habe die DS-GVO mehr als einmal gelesen und durchgesehen, aber mit dieser Checkliste konnte ich endlich etwas anfangen, da diese in Grundzügen die Erwartungshaltung der Aufsichtsbehörden in Bezug auf die Umsetzung der DS-GVO wiedergegeben hat. Diese Checkliste umfasste nur zwei Seiten, die sind aber richtig gut.*

*Erst im Anschluss erfolgten die weiteren Veröffentlichungen der Aufsichtsbehörden. Ich habe im Verlauf der vergangenen Monate meine Ansätze weiterentwickelt. Entsprechend der fortschreitenden Veröffentlichungen der Aufsichtsbehörden. Der Grundrahmen aus der Checkliste des BayLDA ist aber geblieben. Insofern an dieser Stelle nochmals ein ernst gemeinter Dank an die bayerische Aufsichtsbehörde.*

# Kapitel 1 – Hinführung zur DS-GVO

I n diesem Kapitel beschreibe ich in groben Zügen Teile der DS-GVO ohne dabei juristisch zu werden oder mich mit Details aufzuhalten. Dieses Kapitel dient der Hinführung zum Thema. Nachfolgend gebe ich die Überschriften der Artikel wieder und eine kurze Kommentierung für KMU.

Ich gebe das Gesetz nicht wieder. An dieser Stelle empfehle ich Ihnen auf der Internetseite der Bundesbeauftragten für den Datenschutz die kostenlose Borschüre „Info 6 Datenschutz-Grundverordnung" herunter zu laden und dort die entsprechenden Passagen nachzulesen.

*https://www.bfdi.bund.de/DE/Infothek/Informationsmaterial/_functions/Informationsbroschueren_table.html*

Fangen Sie am besten bei den Artikeln an, die ich nachfolgend aufgenommen habe und nehmen Sie sich den Rest für später vor. Ansonsten sind Sie von der Wucht dieser Verordnung komplett erschlagen.

## Kapitel 1.1 – Kapitel 1 DS-GVO     „Allgemeine Bestimmungen"

### Artikel 1     Gegenstand und Ziele

Dieser Artikel regelt, dass dieses Gesetz die Datenschutzgrundverordnung ist und wofür diese Verordnung da ist.

### Artikel 2     sachlicher Anwendungsbereich

Definiert, das die DS-GVO bei jeder Form der Datenverarbeitung außerhalb des eigenen Kopfes (damit meine ich tatsächlich Ihr Gehirn) Anwendung findet. Egal ob es sich um „Bits" und „Bytes" handelt oder um vergilbtes Papier in altmodischen Aktenordnern. Die DS-GVO ist immer anzuwenden. Das meine ich wirklich so und nicht als Scherz: Alles außerhalb Ihres Kopfes unterliegt der DS-GVO.

Was nicht darunter fällt ist die rein private Nutzung: Also zum Beispiel die private Telefonliste ihrer Familie.

Sobald Sie aber eine Skatrunde mit einer kleinen Kasse haben, ist dies möglicherweise schon nicht mehr rein privat veranlasst und unterliegt der DS-GVO (solche Clubs sind gesellschaftsrechtlich eine GBR, d.h. eine Gesellschaft bürgerlichen Rechts, dessen ist sich nur niemand bewusst).

Was auf jeden Fall darunter fällt sind alle KMU´s und alle Vereine, unabhängig, ob es sich um einen eingetragenen Verein, eine UG, GmbH, OHG, KG, AG oder einen Einzelunternehmer handelt.

**Artikel 3        räumlicher Anwendungsbereich**

Diese Verordnung gilt weltweit. Sobald Daten einer in der EU ansässigen Person verarbeitet werden, gilt die DS-GVO. In den USA ebenso wie in Russland, China, Indien, der Türkei oder einem kleinen Atoll in der Südsee.

**Artikel 4        Begriffsbestimmungen**

Davon gibt es insgesamt 26 Stück. Für das Tagesgeschäft eines KMU sind in der Regel die folgenden Begriffsbestimmungen von Relevanz:

| | |
|---|---|
| 1 | personenbezogene Daten |
| 2 | Verarbeitung |
| 3 | Einschränkung der Verarbeitung |
| 4 | Profiling |
| 5 | Pseudonymisierung |
| 6 | Dateisysteme |
| 7 | Verantwortlicher |
| 8 | Auftragsverarbeiter |
| 9 | Empfänger |
| 10 | Dritter |
| 11 | Einwilligung |
| 12 | Verletzung des Schutzes personenbezogener Daten |
| 13 | genetische Daten |
| 14 | biometrische Daten |
| 15 | Gesundheitsdaten |

Die übrigen sind auch relevant, aber diese sollten Sie auf jeden Fall kennen.

## Kapitel 1.2 – Kapitel 2 DS-GVO    „Grundsätze"

### Artikel 5    Grundsätze für die Verarbeitung

Diese Grundsätze müssen Sie beherrschen, da sich diese Grundsätze durch die gesamte DS-GVO ziehen und das gedankliche Fundament darstellen. Wenn Sie sich abends mit einer guten Flasche Wein oder einem Bier auf die Terrasse/Balkon setzen, sinnen Sie einfach über diese Grundsätze nach und schreiben Sie auf, was Ihnen der gesunde Menschenverstand dazu sagt.

Wenn Sie dann diesen Artikel im Gesetz lesen werden Sie feststellen, dass Ihre Gedanken gar nicht weit vom Text der Verordnung entfernt sind. Diese Grundsätze sind zwar nicht selbsterklärend, dem Kern nach erschließen Sie sich aber dem normalen Menschenverstand.

Grundsatz 1 Rechtmäßigkeit

Grundsatz 2 Verarbeitung nach Treu und Glauben

Grundsatz 3 Transparenz

Grundsatz 4 Datenminimierung

Grundsatz 5 Richtigkeit

Grundsatz 6 Speicherbegrenzung

Grundsatz 7 Integrität und Vertraulichkeit

Grundsatz 8 Rechenschaftspflicht

### Artikel 6    Rechtmäßigkeit der Verarbeitung

Eine Verarbeitung ist Rechtmäßig, wenn,

- ein vorvertragliches Verhältnis besteht
- ein Vertrag besteht
- eine Einwilligung vorhanden ist
- ein berechtigtes Interesse besteht
- die Verarbeitung gesetzlich erforderlich ist
- die Verarbeitung einem (über-)lebenswichtigen Interesse der betroffenen Person dient

## Artikel 7    Bedingungen für die Einwilligung

Bedingungen für die Einwilligung sind,

- sie muss nachgewiesen werden können
- sie darf nicht in AGB oder in Verträgen versteckt werden
- sie muss jederzeit widerrufbar sein
- sie muss freiwillig erfolgen

**Tipp: Ich verwende Einwilligungen nur in folgenden Fällen:**

- **Werbung-, Markt- und Meinungsforschung**
- **Online-Tracking**
- **Fotoverwendung**
- **Nutzung privater Endgeräte (BYOD)**

Ansonsten verwende ich, aufgrund der sehr komplexen Probleme des Widerrufrechts mit der daraus folgenden Löschverpflichtung aller Daten, keine Einwilligungen.

**Tipp: In der Praxis verwende ich regelmäßig die Begründung der Rechtmäßigkeit durch ein vorvertragliches Verhältnis, einen Vertrag oder Vorliegen eines berechtigten Interesses.**

**Vermeiden Sie Einwilligungen und es lebt sich einfacher**

## Artikel 8    Bedingungen für die Einwilligung eines Kindes in Bezug auf Dienste der Informationsgesellschaft

Im betrieblichen Alltag der KMU ist der Vertragspartner in der Regel eine geschäftsfähige Person, auch wenn der Empfänger der Leistung möglicherweise eine nicht voll geschäftsfähige Person ist. Daher gehe ich hierauf nicht weiter ein.

Ansonsten habe ich im vorhergehenden Artikel meine Meinung zur Einwilligung wiedergegeben.

**Artikel 9**     **Verarbeitung besonderer Kategorien personenbezogener Daten**

Die Verarbeitung personenbezogener Daten, aus denen

- die rassische und ethnische Herkunft,
- politische Meinungen,
- religiöse oder weltanschauliche Überzeugungen oder
- die Gewerkschaftszugehörigkeit hervorgeht,
- sowie die Verarbeitung von genetischen Daten,
- biometrischen Daten zur eindeutigen Identifizierung einer natürlichen Person,
- Gesundheitsdaten oder
- Daten zum Sexualleben oder der sexuellen Orientierung einer natürlichen Person

ist untersagt.

Danach folgen im Gesetz die Ausnahmen, unter denen diese Daten doch verwendet werden dürfen.


In der Regel werden bei KMU die folgenden Daten verarbeitet:

- rassische oder ethnische Herkunft
- Religionszugehörigkeit (wegen Kirchensteuer)
- Gewerkschaftszugehörigkeit
- biometrische Daten (z. B. Fotos auf Dienstausweisen)
- Gesundheitsdaten (z.B. im betrieblichen Eingliederungsmanagement – BEM)

Bei der Bearbeitung dieser Daten müssen Sie eine ganz besonders hohe Sorgfalt walten lassen. Daneben dürfen diese Daten nicht ohne weiteres für Entscheidungen (z.B. insbesondere bei Personaleinstellungen) verwendet werden. Hier haben sich gegenüber dem alten Recht, nach bisheriger Einschätzung der Aufsichtsbehörden, keine wesentlichen Neuerungen ergeben.

---

**Tipp: Erheben Sie so wenige dieser Daten wie möglich**

**Artikel 10      Verarbeitung von personenbezogenen Daten über strafrechtliche Verurteilungen und Straftaten**

Diese Daten dürfen Sie in der Regel nicht verarbeiten.

**Artikel 11      Verarbeitung, für die eine Identifizierung der betroffenen Person nicht erforderlich ist**

Sie müssen keine personenbezogenen Daten nur zu dem Zweck verarbeiten, die DS-GVO zu erfüllen.

Hört sich komplett unsinnig an, ist es aber nicht. Der Sinn der Regelung ergibt sich aus den umfassenden Rechenschafts- und Nachweispflichten der DS-GVO.

---

**Tipp: Wenn Sie keinen Personenbezug haben, stellen Sie diesen auch nicht her.**

---

## Kapitel 1.3 – Kapitel 3 DS-GVO      „Rechte der betroffenen Personen"

In den Artikeln 12 bis 23 sind sehr umfassend die Rechte der betroffenen Personen geregelt.

Ich werde nur die Überschriften der Artikel wiedergeben, da ich im weiteren Verlauf des Buches sehr detailliert auf die Umsetzung der Rechte der betroffenen Personen eingehen werde.

Artikel 12 Transparente Information, Kommunikation und Modalitäten für die Ausübung der Rechte der betroffenen Person

Artikel 13 Informationspflicht bei Erhebung von personenbezogenen Daten bei der betroffenen Person

Artikel 14 Informationspflicht, wenn die personenbezogenen Daten nicht bei der betroffenen Person erhoben wurden

Artikel 15 Auskunftsrecht der betroffenen Person

Artikel 16 Recht auf Berichtigung

Artikel 17 Recht auf Löschung („Recht auf Vergessenwerden")

Artikel 18 Recht auf Einschränkung der Verarbeitung

Artikel 19 Mitteilungspflicht im Zusammenhang mit der Berichtigung oder Löschung personenbezogener Daten oder der Einschränkung der Verarbeitung

Artikel 20 Recht auf Datenübertragbarkeit

Artikel 21 Widerspruchsrecht

Artikel 22 Automatisierte Entscheidungen im Einzelfall einschließlich Profiling

Artikel 23 Beschränkungen

## Kapitel 1.4 – Kapitel 4 DS-GVO        „Verantwortlicher und Auftrags-verarbeiter"

### Artikel 24 Verantwortung des für die Verarbeitung Verantwortlichen

Verantwortlich im Sinne der DS-GVO ist derjenige, der die Daten verarbeitet.

Das heißt verantwortlich ist:

- der Verein
- die GmbH, KG, AG, UG
- das Unternehmen
- sie in der Funktion als Einzelunternehmer

Ich erwähne dies, weil immer die Diskussion auftaucht, ob zum Beispiel die Mitarbeiter des Rechnungswesens bei der Klärung von Buchungsproblemen den Mitarbeiter im Vertrieb anrufen dürfen.

Ja, das darf der Mitarbeiter. Verantwortliche Stelle ist das gesamte Unternehmen, nicht die einzelne Abteilung. Auf die Besonderheiten von verschachtelten Unternehmensgruppen gehe ich hier nicht ein. Das führt zu weit.

---

**Merksatz: Verantwortlicher im Sinne der DS-GVO ist das Unternehmen <u>als Ganzes</u>, <u>nicht</u> die einzelne Abteilung**

---

## Artikel 25 Datenschutz durch (Technik)Gestaltung und durch datenschutzfreundliche Voreinstellungen

Damit ist gemeint, dass bereits bei der allerersten Zeichnung einer neuen Idee auf einem leeren Blatt weißen Papiers über den Datenschutz nachzudenken ist.

Dasselbe gilt für den Datenschutz durch Voreinstellungen. Gemeint ist hierbei insbesondere die gesamte digitale Welt des Internets und der Smartphone-Apps. Hier muss die Technik so eingestellt werden, dass zunächst keine oder nur rudimentäre personenbezogene Daten erhoben werden. Alle anderen Daten müssen per Einstellung ausgeschaltet werden. Der Nutzer muss durch die Einstellungen selbst über die Datenweitergabe entscheiden können.

> **Merksatz: Datenschutz beginnt ganz vorne bei der ersten Idee zu einem neuen Produkt, einem neuen Verfahren oder einem neuen Organisationsablauf. Informieren Sie Ihre Mitarbeiter in der Forschung und Entwicklung und ihre Unternehmensorganisatoren. Die müssen das wissen und vor allem auch beachten.**

> **Merksatz: Bei den Vorsteinstellungen zu Apps und Webseiten ist eine sehr enge Begrenzung der Datenerhebung zu programmieren. Erheben Sie zunächst nur die Daten, die Sie tatsächlich für die Geschäftsanbahnung benötigen.**

## Artikel 26 Gemeinsam für die Verarbeitung Verantwortliche

Wenn Sie beispielsweise mit einem anderen Unternehmen eine gemeinsame Software verwenden und in dieser Software die Datenbestände nicht sauber getrennt sind, sind Sie gemeinsam verantwortlich.

## Artikel 27 Vertreter von nicht in der Union niedergelassenen Verantwortlichen oder Auftragsverarbeitern

Alle Unternehmen mit einem Sitz außerhalb der EU, die zum Beispiel nur mittels Onlinehandel Produkte in der EU vertreiben, müssen in der EU einen Vertreter benennen, der als Ansprechpartner zur Verfügung steht.

## Artikel 28 Auftragsverarbeiter

Damit ist jedes Unternehmen gemeint, dass in Ihren Auftrag personenbezogene Daten verarbeitet.

Beispiele (nicht abschließende Aufzählung):

- IT-Dienstleister im Rahmen der Fernwartung von Systemen
- Cloud Anbieter von Speicherplatz
- das Entsorgungsunternehmen das ihre Akten und Datenspeicher entsorgt
- der freie Handelsvertreter der von Ihnen Kundendaten erhält
- Call-Center
- zentrale Rechenzentren (z.B. DATEV)
- Auskunfteien für Bonitätsprüfung

Bei der Beauftragung dieser Unternehmen **müssen Sie immer** einen AV-Vertrag abschließen.

---

**Tipp: Achten Sie darauf, dass die Auftragnehmer Ihnen nicht nur AGBs vorlegen. Das stellt einen Verstoß gegen die DS-GVO dar.**

**Sie brauchen einen Vertrag oder eine Vereinbarung, die auch so heißt und separat unterschrieben wird. AGBs reichen nicht.**

---

## Artikel 29 Verarbeitung unter der Aufsicht des Verantwortlichen oder des Auftragsverarbeiters

Bedeutet, dass Ihre Mitarbeiter Daten nur nach Ihren Vorgaben verarbeiten dürfen. Auf die genaue Umsetzung komme ich im weiteren Verlauf noch zurück, da dies in der Praxis zu viel Arbeit führt.

---

**Tipp: Ihre Mitarbeiter müssen von Ihnen auf die Einhaltung der DS-GVO verpflichtet werden. Die alte Verpflichtung auf das Datengeheimnis nach BDSG gibt es nicht mehr. Sie sollten dennoch ein solches Dokument von Ihren Mitarbeitern unterschreiben lassen.**

---

## Artikel 30 Verzeichnis von Verarbeitungstätigkeiten

Sie müssen ein Verzeichnis aller Verarbeitungstätigkeiten führen. Dies ist im Einzelfall sehr umfangreich.

Meine Vorgehensweise weicht von den Empfehlungen und Meinungsäußerungen der Kollegen und den Verlautbarungen der Aufsichtsbehörden für den Datenschutz ein wenig ab.

Ich verwende weiterhin ein Verzeichnis der IT-Systeme (das ich allerdings Verzeichnis der Verarbeitungstätigkeiten nenne) und ergänze dies durch eine Reihe von Dokumenten, die bereits vorhanden sind. Die Gesamtheit dieser Dokumente ergibt das Verzeichnis der Verarbeitungstätigkeiten.

---

**Tipp: Das Verfahrensverzeichnis muss nicht ein Dokument sein. Es kann auch eine strukturierte Sammlung unterschiedlicher Dokumente sein. Sie müssen dieses nur durch eine Struktur, ein Dach-Dokument, zusammenbinden.**

**Wie das geht, können Sie im Kapitel 2 nachlesen**

---

## Artikel 31 Zusammenarbeit mit der Aufsichtsbehörde

Sie müssen mit der Aufsichtsbehörde für den Datenschutz zusammenarbeiten, wenn diese auf Sie zu kommt. Ist eine Selbstverständlichkeit, die aber natürlich gesetzlich geregelt sein muss.

## Artikel 32 Sicherheit der Verarbeitung

Hier geht es in die IT-Sicherheit. Dazu mehr im Kapitel 3 „Die IT-Sicherheitsrichtlinie".

---

**Merksatz: Die IT-Sicherheit hat massiv an Bedeutung gewonnen. Im Klartext: Ohne sichere IT-Systeme können Sie die Regelungen der DS-GVO auch nicht annähernd erfüllen.**

---

### Artikel 33 Meldung von Verletzungen des Schutzes personenbezogener Daten an die Aufsichtsbehörde

Datenverluste müssen innerhalb von 72 Stunden an die Aufsichtsbehörde gemeldet werden. Siehe hierzu meine Ausführungen im Kapitel 2.

### Artikel 34 Benachrichtigung der von einer Verletzung des Schutzes personenbezogener Daten betroffenen Person

Sofern der Datenverlust zu einem hohen Risiko für die Rechte einer betroffenen Person führen, müssen Sie diese über den Datenverlust informieren.

**Praxisbeispiele:**

- Sie versenden eine Datei mit Bankdaten an den falschen Empfängerkreis
- Ein dritter erlangt Zugriff auf ihre Kundenstammdaten und zieht diese aus dem IT-System ab

### Artikel 35 Datenschutz-Folgenabschätzung (DSFA)

Bei bestimmten Arten von Verarbeitungen müssen Sie vor der Verarbeitung im Rahmen einer Beurteilung die Risiken für die betroffenen Personen, aus der Sicht der betroffenen Personen, betrachten.

Klingt einfach, stellt aber die Unternehmen vor massive Probleme, da es für Deutschland ein völlig neues Recht ist.

### Artikel 36 Vorherige Konsultation

Sollten Sie bei einer Datenschutz-Folgenabschätzung ein hohes Risiko für die Rechte der betroffenen Personen festgestellt haben, müssen Sie diese Risiken durch Maßnahmen reduzieren.

Wenn nach den Maßnahmen immer noch ein hohes Risiko verbleibt, müssen Sie die für Sie zuständige Aufsichtsbehörde für den Datenschutz konsultieren. Diese muss das prüfen und genehmigen.

Jetzt mal ehrlich: Denken Sie wirklich, dass die Aufsichtsbehörde Ihnen ein Verfahren genehmigen wird, dass ein hohes Risiko darstellen wird. Meine Erwartungshaltung ist: „Nein".

Ich gehen davon aus, dass die Aufsichtsbehörden nur sehr wenige Konsultationsverfahren haben werden.

---

**Tipp: Sollte eine DSFA ein hohes Risiko für die Rechte der betroffenen Personen aufdecken, dann arbeiten Sie solange an ihrem geplanten Produkt, der geplanten Software oder dem geplanten Prozess bis Sie aus diesem hohen Risiko heraus sind. Dann müssen Sie die Aufsicht nicht konsultieren, sondern können sich an die Arbeit machen.**

**Grund: Das wird Ihnen die Aufsichtsbehörde für den Datenschutz sowieso nicht genehmigen.**

---

### Artikel 37 Benennung eines Datenschutzbeauftragten

Hier ist definiert, wann ein Datenschutzbeauftragter zu benennen ist. Diesen Artikel brauchen Sie nicht zu lesen. Lesen Sie stattdessen §38 Bundesdatenschutzgesetz (neue Fassung 2018). Dort hat der deutsche Gesetzgeber dies für Deutschland geregelt.

Grundsätzlich gilt in Deutschland: Wenn mehr als 10 Mitarbeiter mit der Verarbeitung personenbezogener Daten betraut sind, brauchen Sie einen Datenschutzbeauftragten.

---

**Tipp: Wenn Sie einen Datenschutzbeauftragten bestellen, egal ob intern oder extern, müssen Sie diese Bestellung befristen. Befristen Sie die Bestellung nicht, gilt die Bestellung bis zum Tod (dies ist tatsächlich so) der bestellten Person.**

**Bestellung des Datenschutzbeauftragten immer befristen!**

---

> **Merksatz: Auch wenn Sie weniger als 10 Personen mit der Verarbeitung personenbezogener Daten beschäftigen, oder vielleicht auch ein Einzelunternehmer sind: Die DS-GVO müssen Sie trotzdem <u>immer und umfassend</u> beachten. Sie müssen dann <u>immer</u> alles selber im Blick haben.**

> **Beachten Sie bei der Bestellung eines internen Datenschutzbeauftragten auch das besondere Kündigungsrecht nach §6 Absatz 4 Bundesdatenschutzgesetz. Dieser Absatz gilt auch für den nicht öffentlichen Bereich. Siehe Artikel 38** (folgt auf der nächsten Seite)

### Artikel 38 Stellung des Datenschutzbeauftragten

Der Datenschutzbeauftragte hat eine besondere Stellung innerhalb des Unternehmens. Einerseits ist er immer noch Ihr Mitarbeiter andererseits arbeitet er völlig weisungsfrei.

Im Bundesdatenschutzgesetz ist zudem ein spezieller Kündigungsschutz für Datenschutzbeauftragte normiert. Der Datenschutzbeauftragte genießt den selben Kündigungsschutz wie Betriebsräte.

Er wird von manchen daher auch als Berufsbeamter bezeichnet. Einmal bestellt, werden Sie einen Datenschutzbeauftragten nur noch los, wenn Sie die Bestellung befristet haben. Denn so dumm, Ihnen einen Grund für eine fristlose Kündigung zu geben, sind die wenigsten Datenschutzbeauftragten.

Folgendes müssen Sie beachten:

- Der Datenschutzbeauftragte ist frühzeitig einzubinden und zu informieren
- Sie müssen den Datenschutzbeauftragten vollumfänglich bei der Erfüllung seiner Aufgabe unterstützen
- Sie müssen dem Datenschutzbeauftragten alle notwendigen Ressourcen zur Verfügung stellen (d.h. Fachliteratur kaufen)

- Sie müssen dem Datenschutzbeauftragten genug Zeit zur Erfüllung seiner Aufgaben zugestehen
- Sie dürfen den Datenschutzbeauftragten nicht mit Anweisungen in die Arbeit reinreden
- jede betroffene Person (u.a. Mitarbeiter, Kunde) darf sich an den Datenschutzbeauftragten jederzeit wenden

## Artikel 39 Aufgaben des Datenschutzbeauftragten

Die Aufgaben des Datenschutzbeauftragten sind wie folg definiert:

- Unterrichtung und Beratung des Verantwortlichen oder des Auftragsverarbeiters und der Beschäftigten, die Verarbeitungen durchführen, hinsichtlich ihrer Pflichten nach dieser Verordnung sowie nach sonstigen Datenschutzvorschriften der Union bzw. der Mitgliedstaaten.
- Überwachung der Einhaltung dieser Verordnung, anderer Datenschutzvorschriften der Union bzw. der Mitgliedstaaten sowie der Strategien des Verantwortlichen oder des Auftragsverarbeiters für den Schutz personenbezogener Daten.
- Einschließlich der Überwachung der Zuweisung von Zuständigkeiten, der Überwachung der Sensibilisierung und Schulung der an den Verarbeitungsvorgängen beteiligten Mitarbeiter und der diesbezüglichen Überprüfungen.
- Beratung – auf Anfrage – im Zusammenhang mit der Datenschutz-Folgenabschätzung und Überwachung ihrer Durchführung gemäß Artikel 35 DSGVO.
- Zusammenarbeit mit der Aufsichtsbehörde
- Tätigkeit als Anlaufstelle für die Aufsichtsbehörde in mit der Verarbeitung zusammenhängenden Fragen, einschließlich der vorherigen Konsultation gemäß Artikel 36 DSGVO, und gegebenenfalls Beratung zu allen sonstigen Fragen.

> **Tipp:** Legen Sie die Aufgaben in der Bestellung fest und überlegen Sie, welche Aufgaben der Datenschutzbeauftragte darüber hinaus noch übernehmen soll. Dies können Sie bei der Bestellung beeinflussen.

Beispiele für weitere Aufgaben:

- Führung des tabellarischen Verzeichnisses der Verarbeitungstätigkeiten, des Verzeichnisses der Datenschutz-Folgenabschätzungen und des Verzeichnisses der ADV-Verträge entsprechend den von den Führungskräften mitgeteilten Verarbeitungen und zur Verfügung gestellten Unterlagen.
- Unterstützung der verantwortlichen Führungskräfte bei der Schulung von Mitarbeitern sowie die Bereitstellung von Schulungsunterlagen
- Bereitstellung der notwendigen Informationen für Führungskräfte und Mitarbeiter auf einem zentralen Sonderlaufwerk

**Artikel 40 bis 81 können Sie ignorieren, dass wird Sie als KMU nicht betreffen.**

## Artikel 82 Haftung und Recht auf Schadenersatz

Die verantwortliche Stelle haftet für die Einhaltung dieses Gesetztes und macht sich bei Verstößen gegenüber der betroffenen Person schadensersatzpflichtig. Den Schadensersatz legt am Ende das Gericht fest. Über mögliche Höhen kann ich keine Aussage machen, das ist reine Spekulation.

Dies wird in der Zukunft eine große Spielwiese für Juristen jeder Couleur. Es wird sicherlich viele Prozesse geben, in denen versucht werden wird, möglichst viel Geld als Schadensersatz heraus zu holen.

---

**Tipp: Sollte ein Abmahnanwalt oder der Anwalt einer betroffenen Person mit Schadensersatzforderungen an Sie herantreten, überlassen Sie die Abwehr einen Juristen.**

**Überweisen Sie nicht einfach einen Betrag X an einen stark auftretenden Abmahnanwalt.**

**Bewahren Sie kühlen Kopf und überlassen Sie die Abwehr einen Juristen, der sich damit auskennt.**

**Sollte der Anwalt oder die betroffene Person mit einer Beschwerde bei der Aufsicht drohen, soll er sich doch dort beschweren. Wenn Sie Ihre Hausaufgaben gemacht haben, werden Sie die Beschwerde bei der Aufsichtsbehörde für den Datenschutz beherrschen können. Lassen Sie sich nicht in Bockshorn jagen.**

**Sollten Sie Ihre Hausaufgaben noch nicht gemacht haben: Ab an die Arbeit.**

---

**Artikel 83 Allgemeine Bedingungen für die Verhängung von Geldbußen**

In diesem Artikel hat der Gesetzgeber den Bußgeldrahmen festgelegt. Rund 50 Artikel der DS-GVO sind mit Bußgeldtatbeständen ausgestattet.

Hierbei gibt es zwei unterschiedliche Bußgeldrahmen:

---

**bis zu 10 Millionen Euro oder zwei Prozent des weltweiten**

**Vorjahresumsatzes**

**oder**

**bis zu 20 Millionen Euro oder vier Prozent des weltweiten**

**Vorjahresumsatzes**

---

Zu diesem Bußgeldrahmen kommt noch die Möglichkeit der Aufsichtsbehörde hinzu, den gesamten mit dem Verstoß erzielten Gewinn abzuschöpfen. Das heißt, dass mit dem Bußgeld Ihre Zahlungsverpflichtung noch lange nicht beendet sein muss.

In der DS-GVO ist zudem geregelt, dass die Bußgelder eine nachhaltige, erzieherische und abschreckende Wirkung entfalten sollen.

---

**So, jetzt setzen wir uns erst einmal wieder auf die Terrasse oder den Balkon, nehmen uns ein gutes Glas Wein oder ein gutes Bier und denken darüber nach, was der Gesetzgeber hiermit erreichen will.**

---

Will der Gesetzgeber Sie als KMU oder als Verein tatsächlich ruinieren? Will der Gesetzgeber jede Art der Datenerhebung mit drakonischen Strafen unterbinden? In den gesamten Verlautbarungen der Panikmacher in der Presse wird immer eines übersehen: **Die DS-GVO gilt für alle.** Den weltweit agierenden Internetgiganten ebenso wie für den Selbständigen der als Ein-Mann-Unternehmer sein Geld verdient.

Hintergrund für dieses drakonische Strafmaß ist insbesondere das bewusste ignorieren des Datenschutzes durch die weltweit agierenden Konzerne. Gegen die richtet sich diese Bußgeldhöhe. Nicht so sehr gegen das KMU, den Verein oder den kleinen Selbständigen.

---

**Tipp: Lassen Sie sich <u>nicht</u> von der Presse und den Pseudo-Datenschützern, die jetzt ausschwärmen und Kasse machen wollen, Irre machen. Schalten Sie ihren gesunden Menschenverstand ein!**

---

Selbstverständlich **<u>müssen</u>** Sie als KMU, Verein und Selbständiger **die DS-GVO nach besten Möglichkeiten einhalten**. Ich gehe aber davon aus, dass die Aufsichtsbehörden mit einem sehr guten Augenmaß vorgehen werden und bei Verstößen sehr wohl im Blick haben, wer Sie sind, wie groß ihr Unternehmen ist, in welchem Umfang Sie Daten verarbeiten und ob Sie sich nach bestem Wissen und Gewissen um die Einhaltung der DS-GVO bemüht haben.

Sie müssen sich auf dem Weg machen die Regelungen der DS-GVO umzusetzen, selbstverständlich, aber verfallen Sie nicht in Panik aufgrund der Bußgeldhöhe.

**Artikel 84 bis 87 können Sie ignorieren, dass wird Sie als KMU nicht betreffen.**

**Artikel 88 Datenverarbeitung im Beschäftigungskontext**

In diesem Artikel steht nur drin, dass Sie personenbezogene Daten im Beschäftigungsverhältnis verarbeiten dürfen. Den Rest können die Länder der EU selber regeln.

Für Sie gilt somit der §26 Bundesdatenschutzgesetz (neu). Dieser entspricht fast wortgleich dem alten Recht.

**Artikel 89 bis 99 brauchen Sie auch nicht zu lesen.**

## Kapitel 2 – Das Datenschutzmanagement-System

Mit dem Begriff „Datenschutzmanagement-System" ist keine spezielle Softwarelösung gemeint, sondern ein systematischer und strukturierter Ansatz in der Form eines Managementsystems. Viele scheuen vor diesem Begriff und der Einführung eines solchen Managementsystems zurück, da hiermit immer ein großer Aufwand und ein Zertifikat von einem anerkannten Zertifizierer verbunden wird. In Diesem Kapitel zeige ich am Beispiel eines Datenschutzmanagement-Systems auf, dass dies nicht so sein muss. Das geht auch alles einfach und pragmatisch ohne Geld für eine Testierung und externe Berater auszugeben.

Wenn die Instrumente geschaffen sind, hält sich der weitere Pflegeaufwand für das Instrumentarium in engen Grenzen. Dann kann sich das Unternehmen, in Bezug auf die Einhaltung der DS-GVO, auf die wesentlichen Themen konzentrieren. Aber zunächst muss der Rahmen geschaffen werden.

Hieran scheitern m.E. die meisten Veröffentlichungen. Diese stürzen sich alle sofort auf die große Vielzahl an Detailproblemen und versäumen dabei den Blick auf das große Ganze.

---

**Tipp: Denken Sie über Ihr Unternehmen nach, dann entwerfen Sie eine Struktur für ein Datenschutzmanagement-System. Nicht losrennen, erst einmal in Ruhe einen Gesamtüberblick verschaffen.**

---

### Kapitel 2.1 – Warum ein Datenschutzmanagement-System?

Die Datenschutzgrundverordnung ist ein sehr komplexes Regelwerk, dass mit einem sehr hohen Bußgeldrahmen garniert ist. Dies Vielzahl an komplexen Problemen führt dazu, dass sich die meisten Unternehmen in den Details verlieren, losrennen und letztlich nur Flickschusterei betreiben. Statt das Problem Datenschutz als Ganzes anzugehen, stürzen sich die Unternehmen auf die Details. Meines Erachtens führt dies letztlich nicht zum Ziel.

**Tipp: Ich Empfehle daher, erst einmal einen Kaffee oder Tee zu trinken, die Füße auf den Tisch zu legen, aus dem Fenster zu schauen und darüber nachzudenken, was Sie in Ihrem Unternehmen bereits alles an Instrumenten haben, die im weitesten Sinne mit Datenschutz etwas zu haben. Wenn Sie in der Vergangenheit nicht alles völlig ignoriert haben, werden ihnen nach und nach viele Dinge einfallen, die Sie bereits haben.**

Nun setzen Sie sich mit Ihren Mitarbeiter(n) zusammen, vielleicht auch Ihrem Datenschutzbeauftragten und fangen Sie an einen Rahmen für den Datenschutz in Ihrem Unternehmen zu entwerfen.

Wenn Sie dieses Rahmen haben, dann nennen Sie das Ganze direkt Datenschutzmanagement-System. Damit haben Sie bereits den ersten, wichtigen Schritt zur Umsetzung der DS-GVO getan.

Die Einführung eines Datenschutzmanagement-Systems (DMS) ist eine der Forderungen, welche die Aufsichtsbehörden aufgestellt haben. Unabhängig von dieser Forderung der Aufsichtsbehörde bin ich persönlich davon überzeugt, dass die Umsetzung der DS-GVO nur mittels eines strukturierten Vorgehens möglich ist.

Aufgrund der Ansprüche der verschiedenen Interessensgruppen an die Neugestaltung der datenschutzrechtlichen Regeln ist ein sehr kompliziertes Regelwerk entstanden. Dieses Regelwerk bedarf zudem an vielen Stellen weiterer Konkretisierungen durch den Gesetzgeber, durch die Aufsichtsbehörden und nicht zuletzt durch gerichtliche Entscheidungen.

Die Einführung eines Datenschutzmanagement-Systems ist auch notwendig, um die gesetzlichen Nachweispflichten zu erfüllen.

Die große Gefahr des unstrukturierten Losrennens ist, dass Sie die sehr knappen Ressourcen Ihres Unternehmens in Details verschwenden und am Ende nicht sicher sind, ob Sie den Datenschutz wirklich einhalten.

**Tipp: Beginnen Sie mit einer Bestandsaufnahme auf einem Block Papier und sprechen Sie mit Ihren Mitarbeitern.**

**Kapitel 2.2 – Übersicht über die Inhalte eines Datenschutzmanagement-System**

Den Rahmen des Datenschutzmanagement-Systems bildet eine interne Richtlinie oder ein Handbuch, in welchem das Datenschutzmanagement-System beschrieben wird.

Diese Richtlinie sollte die folgenden Themenfelder regeln:

- Unternehmensleitbild: Stellungnahme der Unternehmensleitung zum Datenschutz
- Betriebsvereinbarungen
- Richtlinie zum Datenschutzmanagement-System
- Stellenbeschreibungen
- Definition der Verantwortlichkeiten


alle weiteren Dokumente und Festlegungen

- Beschreibung der Aufgaben des Datenschutzbeauftragten
- Verzeichnis von Verarbeitungstätigkeiten
- Verträge zur Auftragsverarbeitung
- Datenschutz-Folgenabschätzung
- IT-Sicherheitsrichtlinien
- Verfahrensbeschreibungen
- interner Ablauf der Meldung bei Datenverlusten
- Einbindung weiterer Dokumente

Eine noch kleinteiligere Darstellung und das Aufzählen aller Dokumente in dieser Richtlinie halte ich persönlich für nicht zielführend. Eine solche Struktur führt dazu, dass mehr Arbeit mit der Verwaltung der Richtlinie verwendet wird, wie mit der Umsetzung notwendiger Maßnahmen.

Meiner Meinung nach handelt es sich hierbei um das zentrale Dach (den Rahmen) des Datenschutzes im Unternehmen. Dieser Rahmen wird einmal definiert, schriftlich niedergelegt und bekannt gemacht. Bei den zentralen Dokumenten des Datenschutzmanagement-Systems bietet es sich an, diese auf einem zentralen Server-Laufwerk allen Mitarbeitern, die mit personenbezogenen Daten arbeiten, zur Verfügung zu stellen.

Alle weiteren Dokumente (z.B. Stellenbeschreibungen, Ablaufpläne) können, je nach Unternehmensorganisation, an anderen Stellen hinterlegt sein. Wichtig ist die organisatorische Einbindung in das Datenschutzmanagement-System.

Das nachfolgende Bild stellt die Rangfolge der einzelnen Bausteine da.

Das Unternehmensleitbild stellt die oberste Ebene da. Dieses Leitbild ist in der Regel nicht besonders lang. Es stellt aber die zentrale Haltung der Unternehmensleitung zum Datenschutz dar.

Die Stellung von Betriebsvereinbarungen im Rahmen des Datenschutzes wird meines Erachtens von Unternehmensleitungen häufig nicht vollumfänglich gewürdigt. Betriebsvereinbarungen stellen Kollektivvereinbarungen im Sinne der DS-GVO da. Mittels dieser Kollektivvereinbarungen lassen sich für alle Beschäftigte einheitliche Regelungen etablieren, ohne jedes Detail in den Arbeitsverträgen Regeln zu müssen.

Der Vorteil ist auch, dass bei Änderungen nur ein Dokument angepasst werden muss (nämlich die entsprechende Betriebsvereinbarung) und nicht alle Arbeitsverträge.

Stellenbeschreibungen sind in vielen Unternehmen vorhanden. In diesen Stellenbeschreibungen sind regelmäßig die Aufgaben des Stelleninhabers definiert. Somit sind hierüber auch bereits Regelungen in Bezug auf Datenzugriffe, zumindest implizit, festgelegt.

Zum Beispiel ergibt sich aus der Stellenbeschreibung der Mitarbeiter der Personalabteilung, dass sie für die Bearbeitung von Beschäftigtendaten verantwortlich sind. Hierdurch sind detaillierte Anweisungen, die nach Artikel 29 DS-GVO möglicherweise nötig wären, teilweise abgedeckt.

Schulungen, Unterweisungen und Work-Shops stellen nach meiner Einschätzung ein wichtiges Instrument da. Dort erhalten die Beschäftigten nicht nur viele für den Betrieb notwendige Informationen, sondern es wird auch der Nachweis geführt, dass die Mitarbeiter mit den Regelungen der DS-GVO vertraut gemacht wurden. Dies ist bei möglicherweise eingetretenen Verstößen gegen die DS-GVO von zentraler Bedeutung um das Haftungs- und Bußgeldrisiko des Unternehmens und der Verantwortlichen zu reduzieren.

Den Unterbau bilden dann die große Anzahl an notwendigen Dokumenten.

## Kapitel 2.3 – Unternehmensleitbild: Stellungnahme der Unternehmensleitung zum Datenschutz

Wie bereits oben erwähnt, stellt das Unternehmensleitbild die oberste Ebene da. Dieses Leitbild ist in der Regel nicht besonders lang. Es stellt aber die zentrale Haltung der Unternehmensleitung zum Datenschutz da.

Darin sollte folgendes erwähnt werden:

- Die Einhaltung der gesetzlichen Regelungen zum Datenschutz sind uns als Unternehmensleitung äußerst wichtig.
- Wir als Unternehmen achten die Rechte der Personen, von denen wir Daten gespeichert haben
- Wir tun alles dafür, damit die Daten in unserem Unternehmen sicher sind
- Wir legen Wert darauf, dass alle Beschäftigten verantwortungsvoll mit den anvertrauten Daten umgehen

## Kapitel 2.4 – Betriebsvereinbarungen

Betriebsvereinbarungen sind Kollektivvereinbarungen im Sinne der DS-GVO. Mit Betriebsvereinbarungen können Sie auf Unternehmensebene zentrale Themen regeln, ohne dies in jedem Arbeitsvertrag einzeln aufnehmen zu müssen.

In allen Unternehmen die nach dem Betriebsverfassungsgesetz einen Betriebsrat haben, ist der Abschluss von Betriebsvereinbarungen ein sehr gutes Instrument, um zentrale Themen mit Relevanz für den Datenschutz zu regeln.

Sollten Sie bereits Betriebsvereinbarung mit Bezug zu personenbezogenen Daten von Mitarbeiten haben, steht Ihnen allerdings zunächst Arbeit ins Haus. Die Betriebsvereinbarungen müssen auf die DS-GVO angepasst werden. Das fängt bei Bezügen zu Paragraphen des alten Bundesdatenschutzgesetzes an, geht über Einzelregelungen bis hin zu Regelungen, die zukünftig so nicht mehr geschlossen werden sollten.

---

**Tipp: Schauen Sie sich sukzessive alle Betriebsvereinbarungen an und gehen Sie gemeinsam mit Ihrem Betriebsrat die Überarbeitung an.**

---

## Kapitel 2.5 – Richtlinie zum Datenschutzmanagement-System

Die Richtlinie ist einerseits ein zentraler Bestandteil des Datenschutzmanagement-Systems und gleichzeitig das Dokument, mit dem das Datenschutzmanagement-Systems in Kraft gesetzt wird.

Als Anlage füge ich ein Muster für ein Handbuch/Richtlinie zum Datenschutzmanagement-System bei.

## Kapitel 2.6 – Funktionsbeschreibungen bzw. Stellenbeschreibungen

Stellenbeschreibungen sind in vielen Unternehmen vorhanden. In diesen Stellenbeschreibungen sind regelmäßig die Aufgaben des Stelleninhabers definiert. Somit sind hierüber auch bereits Regelungen in Bezug auf Datenzugriffe, zumindest implizit, festgelegt.

Binden Sie die Stellenbeschreibungen zunächst formal ins DSM ein und gehen Sie dann zum nächsten Thema weiter. Bei der nächsten turnusmäßigen Anpassung der Stellenbeschreibung sollten Sie jedoch immer einen Blick auf den datenschutzrechtlichen Rahmen werfen und die Stellenbeschreibungen gegebenenfalls anpassen bzw. ergänzen.

## Kapitel 2.7 – Festlegung der Verantwortlichkeiten (Führungskräfte und Beschäftigte)

Ungeachtet von bereits bestehenden arbeitsrechtlichen oder gesetzlichen Verpflichtungen, sollten Sie im Rahmen der Richtlinie zum DSM die Verantwortung der Führungskräfte und der Mitarbeiter explizit aufnehmen.

**Formulierungsvorschlag für Führungskräfte:**

„Jede Führungskraft ist in ihrer Organisationseinheit für die Einhaltung der gesetzlichen Vorgaben und für die Umsetzung der internen Regelungen vollumfänglich verantwortlich. Es besteht eine Pflicht zur regelmäßigen Information über aktuelle gesetzliche Änderungen in Bezug auf datenschutzrechtliche Regelungen.

Hierzu werden den Führungskräften auf dem zentralen Laufwerk die notwendigen Informationen durch den Datenschutzbeauftragten zur Verfügung gestellt. Bei wesentlichen Änderungen oder Gerichtsurteilen mit weitreichender Bedeutung, die eine erhebliche Auswirkung auf die Umsetzung des Datenschutzes haben könnten, erfolgt eine ad hoc Information durch den Datenschutzbeauftragten.

Die Führungskräfte haben ihre Mitarbeiter, unabhängig von zentral organisierten Schulungsmaßnahmen, in Bezug auf die die Einhaltung der datenschutzrechtlichen Vorgaben zu sensibilisieren und zu informieren.

Die Führungskräfte legen in ihrem Verantwortungsbereich die internen Regelungen zur Verarbeitung von personenbezogenen Daten fest. Diese Festlegungen sind schriftlich zu dokumentieren. Der Datenschutzbeauftragte ist hierüber zu informieren.

Die Führungskräfte teilen dem Datenschutzbeauftragten zeitnah alle notwendigen Informationen über die Änderung bestehender Verarbeitungtätigkeiten oder neue Verarbeitungstätigkeiten mit. Daneben bestehen weitere Informationspflichten gegenüber dem Datenschutzbeauftragten, die separat beschrieben werden.

Die festgelegten Melde- und Informationspflichten und die definierten Meldewege sind immer einzuhalten."

**Formulierungsvorschlag für Mitarbeiter:**

„Jeder Mitarbeiter ist in dem ihm übertragenen Aufgabengebiet für die Einhaltung der gesetzlichen Vorgaben und für die Umsetzung der internen Regelungen vollumfänglich verantwortlich.

Die Verarbeitung personenbezogener Daten darf ausschließlich entsprechend den gesetzlichen Vorgaben oder den internen Regelungen erfolgen.

Die festgelegten Melde- und Informationspflichten und die definierten Meldewege sind immer einzuhalten."

## Kapitel 2.8 – Beschreibung der Aufgabe des betrieblichen Datenschutzbeauftragten

Die Aufgaben des betrieblichen Datenschutzbeauftragten sind im Artikel 39 DS-GVO gesetzlich geregelt. Ich empfehle jedoch die Aufnahme in die Richtlinie zum DSM, da die wenigsten Mitarbeiter die DS-GVO lesen und verstehen werden.

An dieser Stelle folgt ein Vorschlag für eine mögliche Formulierung und für eine mögliche Erweiterung der Aufgaben des betrieblichen Datenschutzbeauftragten.

Die Aufgaben des Datenschutzbeauftragten sind in Artikel 39 DSGVO definiert und werden an dieser Stelle wiedergegeben:

- Unterrichtung und Beratung des Verantwortlichen oder des Auftragsverarbeiters und der Beschäftigten, die Verarbeitungen durchführen, hinsichtlich ihrer Pflichten nach dieser Verordnung sowie nach sonstigen Datenschutzvorschriften der Union bzw. der Mitgliedstaaten.

- Überwachung der Einhaltung dieser Verordnung, anderer Datenschutzvorschriften der Union bzw. der Mitgliedstaaten sowie der Strategien des Verantwortlichen oder des Auftragsverarbeiters für den Schutz personenbezogener Daten.
Einschließlich der Überwachung der Zuweisung von Zuständigkeiten, der Überwachung der Sensibilisierung und Schulung der an den Verarbeitungsvorgängen beteiligten Mitarbeiter und der diesbezüglichen Überprüfungen.
- Beratung — auf Anfrage — im Zusammenhang mit der Datenschutz-Folgenabschätzung und Überwachung ihrer Durchführung gemäß Artikel 35 DSGVO.
- Zusammenarbeit mit der Aufsichtsbehörde
- Tätigkeit als Anlaufstelle für die Aufsichtsbehörde in mit der Verarbeitung zusammenhängenden Fragen, einschließlich der vorherigen Konsultation gemäß Artikel 36 DSGVO, und gegebenenfalls Beratung zu allen sonstigen Fragen.

Zusätzlich zu diesen gesetzlichen Pflichten übernimmt der Datenschutzbeauftragte die folgenden Aufgaben:

- Führung des tabellarischen Verzeichnisses der Verarbeitungtätigkeiten, des
- Verzeichnisses der Datenschutz-Folgenabschätzungen und des Verzeichnisses der ADV-Verträge entsprechend den von den Führungskräften mitgeteilten Verarbeitungen und zur Verfügung gestellten Unterlagen.
- Unterstützung der verantwortlichen Führungskräfte bei der Schulung von Mitarbeitern sowie die Bereitstellung von Schulungsunterlagen
- Bereitstellung der notwendigen Informationen für Führungskräfte und Mitarbeiter auf einem zentralen Sonderlaufwerk

## Kapitel 2.9 – Verzeichnis der Verarbeitungstätigkeiten

Jeder Verantwortliche und gegebenenfalls sein Vertreter muss ein Verzeichnis aller Verarbeitungstätigkeiten, die ihrer Zuständigkeit unterliegen, führen.

Das Verzeichnis der Verarbeitungstätigkeiten umfasst wesentlich mehr als das ehemalige Verfahrensverzeichnis des Bundesdatenschutzgesetzes. Es hat sich nicht nur der Name geändert, sondern auch der geforderte Inhalt.

Das Verzeichnis der Verarbeitungstätigkeiten soll jede Verarbeitungstätigkeit in Bezug auf personenbezogene Daten enthalten. Wenn man dies Buchstabengetreu umsetzt ist man direkt bei einer ISO-Zertifizierung und der Dokumentation jedes Arbeitsschrittes. Das stellt m.E. für jedes KMU eine nicht zumutbare Aufgabe da. Aber, Gesetze sind umzusetzen und der Bußgeldrahmen bedrohlich. Was also machen?

Das Verzeichnis der Verarbeitungstätigkeiten muss nicht, wie der Name es suggeriert, zwangsläufig aus einem Monsterdokument bestehen. Es kann auch aus verschiedenen Teilen aufgebaut sein.

Fangen wir einfach klein an bei Teil A: Dem klassischen Verfahrensverzeichnis. Bauen Sie das erst einmal als Einstieg auf. Verschaffen Sie sich einen Überblick über alle eingesetzten IT-Systeme und Programme.

Im zweiten Schritt ergänzen Sie dieses nach und nach um Verfahrensbeschreibungen. Was ich damit meine, stelle ich im nächsten Abschnitt dar. Letztlich erfüllen Sie die Forderung der DS-GVO durch ein Maßnahmenbündel, dass Sie Stück für Stück abarbeiten. In kleineren, überschaubaren Schritten.

Nun zum Inhalt des Verzeichnisses der Verarbeitungstätigkeiten. Dabei beachten Sie, der Adressat sind nicht Sie selbst oder Ihr Unternehmen, der gedankliche Adressat ist immer die Aufsichtsbehörde für den Datenschutz.

Dieses Verzeichnis enthält sämtliche folgenden Angaben:

- den Namen und die Kontaktdaten des Verantwortlichen und gegebenenfalls des gemeinsam mit ihm Verantwortlichen, des Vertreters des Verantwortlichen sowie eines etwaigen Datenschutzbeauftragten;
- die Zwecke der Verarbeitung;
- eine Beschreibung der Kategorien betroffener Personen und der Kategorien personenbezogener Daten;

- die Kategorien von Empfängern, gegenüber denen die personenbezogenen Daten offengelegt worden sind oder noch offengelegt werden, einschließlich Empfänger in Drittländern oder internationalen Organisationen;
- gegebenenfalls Übermittlungen von personenbezogenen Daten an ein Drittland oder an eine internationale Organisation, einschließlich der Angabe des betreffenden Drittlands oder der betreffenden internationalen Organisation, sowie bei den in Artikel 49 Absatz 1 Unterabsatz 2 genannten Datenübermittlungen die Dokumentierung geeigneter Garantien;
- wenn möglich, die vorgesehenen Fristen für die Löschung der verschiedenen Datenkategorien;
- wenn möglich, eine allgemeine Beschreibung der technischen und organisatorischen Maßnahmen gemäß Artikel 32 Absatz 1.

## Kapitel 2.10 – Verfahrensbeschreibungen

Zur Sicherstellung einheitlicher Verfahrensabläufe und Arbeitsschritte bei der Verarbeitung personenbezogener Daten werden Verfahrensbeschreibungen durch die Fachbereiche erstellt und mit dem Datenschutzbeauftragten abgestimmt.

Der Grund für die Erstellung von Verfahrensbeschreibung liegt im Artikel 29 DS-GVO. Hier wird festgelegt, dass jeder Beschäftigte der Verantwortlichen Stelle, die mit personenbezogenen Daten arbeitet, diese ausschließlich auf Weisung des Verantwortlichen verarbeiten darf. Dies wird nochmals wörtlich im Artikel 32 Absatz 4 DS-GVO wiederholt. Damit stellt der Gesetzgeber heraus, dass ihm diese Regelung besonders wichtig ist.

Was aber meint der Gesetzgeber nun damit? Das steht leider nirgendwo. Muss ich als Unternehmer nun neben jeden Mitarbeiter einen Aufseher stellen, der jeden Arbeitsschritt überwacht? Muss ich im Rahmen einer ISO-Zertifizierung jeden einzelnen Arbeitsschritt vorgeben und überwachen?

Meine Interpretation ist, dass der Gesetzgeber das nicht gemeint hat. Sondern dass der Gesetzgeber damit zum Ausdruck bringen will, dass jede Verarbeitung nach klaren, internen Regelungen zu erfolgen hat.

Diese internen Regelungen können aus einem Repertoire verschiedener Instrumente bestehen:

- Betriebsvereinbarungen
- Stellenbeschreibungen
- Dienstanweisungen
- Arbeitsanweisungen
- Richtlinien
- Verfahrensbeschreibungen

Die Gesamtsumme dieser Instrumente bilden dann das interne Regelwerk zur Umsetzung des Artikel 29. Je nach Unternehmenskultur besteht eine gewisse Abneigung gegen das Wort „Anweisung". Deshalb habe ich diese Dinge im Rahmen von Verfahrensbeschreibungen verschriftlicht. Eine Verfahrensbeschreibung zum Thema „Lieferantendaten" habe ich als Muster in der Anlage beigefügt. Dabei ist zu beachten: Der Gedankliche Adressat ist die Aufsichtsbehörde für den Datenschutz. Denn jetzt mal ganz ehrlich und unter uns: In einem KMU wissen die Mitarbeiter auch so, was sie zu tun haben. Dafür brauche ich das nicht. Denn wenn die Mitarbeiter nicht wissen was sie zu tun haben, ist das KMU sehr schnell vom Markt verschwunden.

## Kapitel 2.11 – Verträge zur Auftragsverarbeitung (AV-Verträge)

siehe Kapitel 4

## Kapitel 2.12 – Datenschutz-Folgenabschätzung

siehe Kapitel 7

## Kapitel 2.13 – IT-Sicherheitsrichtlinie

Die DS-GVO beinhaltet im Artikel 32 umfangreiche Anforderungen an die IT des Unternehmens. Hinzu kommt, dass im Rahmen der Rechenschaftspflicht der Nachweis zu führen ist, dass die Verantwortliche Stelle (das Unternehmen) alles dafür getan hat sicher zu stellen, dass die Regelungen der DS-GVO eingehalten werden.

**An dieser Stelle sei kurz die Umkehr der Beweislast erwähnt. Zukünftig muss die Verantwortliche Stelle nachweisen, dass Sie alles dafür getan hat, dass die Regelungen der DS-GVO eingehalten werden.**

Das heißt, wenn ein Dritter irgendeine Behauptung in den Raum stellt (z.B. das sie 100.000 Datensätze verloren haben), müssen Sie beweisen, dass dies nicht der Realität entspricht. In der IT-Sicherheitsrichtlinie sollten die zentralen IT-Themen geregelt werden. Hierzu enthält das Kapitel 3 umfangreiche Erläuterungen.

## Kapitel 2.14 – Einbindung weiterer Dokumente

Die vorstehend aufgeführten Dokumente sind um eine größere Anzahl weitergehender Dokumente, Verträge und Instrumente zu ergänzen. Diese stellen den Unterbau des Datenschutzmanagement-Systems dar.

Beispielhaft erwähne ich an dieser Stelle:

- Datenschutzbestimmungen
- Allgemeine Geschäftsbedingungen
- Informationsblätter zur Umsetzung der Informationspflichten
- Aushänge (z. B. bei der Videoüberwachung)
- Informationsschreiben
- interne Regelungen zur Bearbeitung von Auskunftsersuchen, Widersprüchen und Beschwerden
- Übertragbarkeit der Daten an den Betroffenen
- Verpflichtungserklärung der Beschäftigten
- Schulungsunterlagen der Beschäftigten
- FAQ für die Beschäftigten
- Ablaufpläne
- Organigramme

## Kapitel 2.15 – Das Meldeverfahren bei Datenverlusten

Die Pflicht zur Meldung von Datenverlusten an die Aufsichtsbehörde stellt eines der brisantesten Themen da. Nach der DS-GVO <u>muss</u> eine Meldung innerhalb von 72 Stunden nach Kenntniserlangung an die Aufsichtsbehörde erfolgen. Eine verspätete oder unterlassene Meldung kann mit einem Bußgeld von bis zu 10. Mio. Euro oder zwei Prozent des weltweiten Vorjahresumsatzes belegt werden.

Was mich in diesen Zusammenhang persönlich in höchstes Erstaunen versetzt ist die Tatsache, dass von den Aufsichtsbehörden für den Datenschutz und allen mir bekannten Datenschutzbeauftragten dies als ein reiner Verwaltungsakt angesehen wird. Nach dem Motto: Jeden Datenverlust erst einmal melden, dann sehen wir weiter.

---

**Hierzu stelle ich Ihnen folgende Frage: Würden Sie als Unternehmer, als Vorstand oder als Geschäftsführer eine steuerrechtliche oder eine kartellrechtliche Selbstanzeige als reinen Verwaltungsakt betrachten, oder würden sie hier nicht den Rat von Juristen, Steuerberatern und Wirtschaftsprüfern hinzuziehen? Würden Sie die Meldung nicht von diesen Spezialisten erstellen und begleiten lassen? Ich bin mir sicher, dass <u>jeder</u> von Ihnen das letztere tun wird.**

---

Der Bußgeldrahmen der DS-GVO ist an das Kartellrecht angeglichen worden. Neben dem Bußgeld hat die Aufsichtsbehörde für den Datenschutz zudem die Möglichkeit den gesamten, mit dem Verstoß erzielten Gewinn, abzuschöpfen.

Dazu kommt, dass wir es in der DS-GVO mit dem Meldeverfahren von Datenverlusten mit einer nicht schuldbefreienden Selbstanzeige zu tun haben. Erst durch diese Selbstanzeige wird die Aufsichtsbehörde tätig.

Diese Selbstanzeige kann verschiedene Bußgeldtatbestände mit einer Bußgeldhöhe von 20 Mio. Euro oder vier Prozent des weltweiten Vorjahresumsatzes auslösen. Hinzu kommt das Risiko der persönlichen Haftung der Verantwortlichen, ein nicht unerhebliches strafrechtliches Risiko (bis zu 3 Jahren Gefängnis) und für Aktiengesellschaften das schöne Thema der Organhaftung die möglicherweise über dem Vorstand bis zum Aufsichtsrat durchschlägt.

Nochmals: Die Meldung ist nicht schuldbefreiend. Ja, sie kommen aus dem Verstoß einer Unterlassung der Meldung heraus (10 Mio.), aber dafür eröffnen Sie das Spiel für die Verhängung eines Bußgeldes in Höhe von 20 Mio. Euro (oder vier Prozent des weltweiten Vorjahresumsatzes).

Also, ist dies tatsächlich ein reiner Verwaltungsakt, wie meine Datenschutzkollegen und die Aufsichtsbehörden es vermitteln? Mitnichten. Hier geht es um die Existenz des Unternehmens und der verantwortlichen Vorstände, Geschäftsführer, leitenden Angestellten und im schlimmsten Fall auch der Aufsichtsräte.

---

**Tipp: Schaffen Sie eine funktionierende interne Meldekette, geben Sie den Vorgang zur weiteren Bearbeitung an einen externen Fachjuristen, Wirtschaftskanzlei oder Wirtschaftsprüfer mit Erfahrung in diesen Themen. Und prüfen Sie, ob die Meldekette auch wirklich funktioniert.**

---

Bereits bei der Meldung beginnt die Abwehr des Organisationsverschuldens, der Organhaftung, der Bußgeldtatbestände und der strafrechtlichen Tatbestände.

Eines muss klar sein: Wenn ein Unternehmen oder eine Verantwortliche Stelle alles dafür getan hat, dass kein Datenverlust eintritt, wäre der Datenverlust eben nicht eingetreten. Das heißt bei einem meldepflichtigen Datenverlust müssen Sie davon ausgehen, dass die Aufsichtsbehörde grundsätzlich ein Organisationsverschulden unterstellen wird. Daraus folgt, dass Sie alles dafür tun müssen, um zu beweisen, dass kein Organisationsverschulden vorliegt.

Aus diesem Zusammenhang folgen viele meiner Empfehlungen. Nach meiner Überzeugung ist ein meldepflichtiger Datenverlust das mit Abstand schlimmste Ereignis, dass einer verantwortlichen Stelle zukünftig passieren kann.

## Kapitel 2.16 – Fazit zum Datenschutzmanagement-System

Meine Erwartungshaltung ist, dass durch die Einführung eines funktionierenden Datenschutzmanagement-Systems bereits ein erheblicher Teil der DS-GVO erfüllt wird.

Bei einem gut strukturierten Unternehmen, welches bereits in der Vergangenheit dem Datenschutz eine gewisse Aufmerksamkeit geschenkt hat, werden bereits viele der vorstehend dargestellten Instrumente vorhanden sein.

Binden Sie diese mittels eines Dokumentes, welches Sie vielleicht „Handbuch zum Datenschutzmanagement-System" nennen zusammen und kümmern Sie sich um die fehlenden Bestandteile. Definieren Sie besonders die Meldekette zum Datenverlust.

Wenn Sie das beherzigen, sind Sie meines Erachtens bereits auf einem sehr guten Weg und wesentlich weiter, wie viele andere Unternehmen.

In den folgenden Kapiteln stelle ich weitere wichtige Themen vor, die in letzter Konsequenz aber nur weitere Dokumente im Rahmen des Datenschutzmanagement-Systems darstellen und dieses ergänzen.

Nach Abarbeitung des ersten Kapitels steht der Rahmen Ihres betrieblichen Datenschutzes. Sehr gut. Nun kommen wir zu den Details.

# Kapitel 3 – Die IT-Sicherheitsrichtlinie

irekt, nachdem ich die Inhalte des Datenschutzmanagement-Systems beschrieben habe, komme ich zu einem wesentlichen Bestandteil des betrieblichen Datenschutzes: Der IT-Sicherheit. Wenn die IT-Sicherheit nicht gegeben ist, können Sie die DS-GVO nicht erfüllen.

Ohne IT-Sicherheit werden Sie Ihr KMU über kurz oder lang vor die Wand fahren. Ich weiß, dass man IT-Sicherheit nicht kostenlos bekommt. Das kostet Geld, wenn Sie als KMU aber an dieser Stelle sparen, wird Sie dies im Zeitalter der hundertprozentigen Digitalisierung aller Lebensbereiche irgendwann ziemlich viel Geld kosten, wenn nicht möglicherweise sogar die Existenz Ihres Unternehmens.

Das Schreibe ich Ihnen als Datenschutzbeauftragter und nicht als Anbieter von IT-Sicherheits-Systemen.

> **Tipp: Kümmern Sie sich um die Sicherheit Ihrer IT.**

Die nachfolgenden Kapitelüberschriften stellen die Inhalte einer IT-Sicherheitsrichtlinie da. Die IT-Sicherheit ist eine Wissenschaft für sich. Hierzu gibt es sehr viel Fachliteratur. Allein der BSI (Bundesamt für Sicherheit in der Informationstechnik) hat hierzu umfassende Informationen zur Gestaltung von IT-Sicherheitssystemen veröffentlicht.

Nachfolgend gebe ich keine Anleitung zur IT-Sicherheit, sondern ich stelle dar, welche Themen Sie meiner Meinung nach auf jedem Fall regeln müssen. Da dies für jedes Unternehmen anders ist, füge ich keine Textvorschläge bei, sondern erläutere, wie ich zu den jeweiligen Empfehlungen komme.

Lassen Sie diese Richtlinie von den IT-Profis erstellen. Achten Sie nur darauf, dass alles Notwendige darin enthalten ist.

> **Tipp: Sofern Sie keine eigene IT-Abteilung haben, dann suchen Sie sich einen guten IT-Dienstleister und lassen Sie sich von Profis unterstützen.**

## Kapitel 3.1 – Ziel und Geltungsbereich

### Ziel

Die Zielrichtung der IT-Sicherheit ist immer die innere und äußere Sicherheit des Unternehmens. Nach außen hin die Abwehr von Angriffen, nach innen die Sicherstellung des Zugriffs auf alle notwendigen Informationen.

### Geltungsbereich

Der Geltungsbereich der IT-Sicherheitsrichtlinie sollte ihr gesamtes Unternehmen umfassen.

## Kapitel 3.2 – Begriffsdefinition

Da Sie es in Ihrem Unternehmen, mit Ausnahme von den Mitarbeitern der IT, im Wesentlichen mit IT-Laien zu tun haben, sollten Sie an dieser Stelle einige zentrale Begriffe definieren.

Zum Beispiel:

- Was ist eine Information bzw. ein Datum im Sinne der IT
- Wer ist interner Dateneigentümer (geht um Zugriffsrechte)
- Was wird unter Datenmanagement verstanden
- Was sind Schadprogramme

## Kapitel 3.3 – verbindliche Sicherheitsstandards

Bei der IT-Sicherheitsrichtlinie handelt es sich um Dachdokument, das seinerseits Bestandteil des Datenschutzmanagement-Systems ist. Dieses Dokument sollte so geschrieben werden, dass Sie es nur alle paar Jahre mal anfassen müssen.

Dazu kommt, dass die IT-Sicherheitsrichtlinie auch einen halböffentlichen Charakter hat. Sie müssen diese im Zweifelsfall auch Dritten zugänglich machen.

> **Tipp: Beschreiben Sie die eigentlichen Sicherheitsstandards in anderen Dokumenten, die Sie nicht herausgeben. Legen Sie in der IT-Sicherheitsrichtlinie lediglich fest, wer für die fortlaufende Überarbeitung und Verbesserung der Sicherheitsstandards verantwortlich ist.**

## Kapitel 3.4 – Netzwerksicherheit

### Verwendung der Systeme

Die IT unterscheidet sich in der Regel in Systeme, deren Nutzung für jeden Mitarbeiter frei geschaltet ist (z.B. MS-Software Produkte) und IT-Systeme, die nur für einen Teil der Mitarbeiter freigeschaltet ist.

Die Trennung der IT-Systeme ergibt sich aus den Regelungen der DS-GVO. Dies bedingt die Erstellung von Zugriffskonzepten für die IT-Systeme.

> **Merksatz: Jeder Mitarbeiter erhält Zugriff auf die Informationen, die er für die Erledigung seiner Aufgaben benötigt, aber nicht mehr.**

In kleineren Unternehmen wird es oft aber so sein, dass aufgrund von Vertretungsregelungen und der geringeren Anzahl von Mitarbeitern in der Verwaltung, jeder Mitarbeite Zugriff auf alle Daten hat. Dies hat durchaus seine Berechtigung. Wenn ihr Unternehmen allerdings wächst, oder Sie mit besonders sensiblen Daten arbeiten, kann dies für Sie zu einem datenschutzrechtlichen Problem werden.

> **Tipp: Wenn Ihr Unternehmen wächst, betrachten Sie neu die Zugriffsrechte Ihrer Mitarbeiter. Lassen Sie die Dinge nicht einfach so laufen.**

### Einrichtung von persönlichen Benutzerkonten

Zur Strukturierung und Erleichterung der IT-Zugriffsrechte werden für die Mitarbeiter Benutzerkonten eingerichtet und individuell konfiguriert.

## Einrichtung von persönlichen „Home"-Laufwerken

In vielen Unternehmen ist es üblich, dass die Mitarbeiter ein persönliches Home-Laufwerk erhalten, um dort Dokumente, Tabellen oder sonstige Informationen zu speichern, auf die nur der jeweilige Mitarbeiter Zugriff hat.

Dies ist nicht zu beanstanden. Dass Problem dabei ist, dass sich Home-Laufwerke zu unkontrollierten Datengräbern entwickeln.

Meiner Meinung nach ist kein Unternehmen mit Home-Laufwerken derzeit dazu in der Lage, eine vollständige Auskunft über die zu einer Person gespeicherten Daten zu geben.

Dasselbe gilt für die von vielen Unternehmen eingerichteten Team- bzw. Gruppenlaufwerke, auf welche nur die Mitarbeiter eines Teams oder einer Gruppe zugreifen können.

---

**Merksatz: Die Einrichtung von persönlichen Home-Laufwerken wird oft als Erlaubnis der privaten Nutzung verstanden. Machen Sie den Mitarbeitern deutlich, dass die persönlichen Home-Laufwerke ausschließlich für betriebliche Zwecke verwendet werden dürfen.**

---

**Tipp: Kontrollieren Sie die Home-Laufwerke, die Team- und Gruppenlaufwerke in einem angemessenen Umfang und tragen Sie dafür Sorge, dass alle alten Dateien, die nicht mehr benötigt werden, gelöscht werden.**

---

## Schutz vor unberechtigtem Zutritt

Sorgen Sie dafür, dass nicht jeder Besucher, Fremde, Gast aber auch die eigenen Mitarbeiter, überall einfach rein können.

Besonders bei den sensiblen Bereichen wie

- IT-Serverraum
- Personalabteilung
- Gesundheitsmanagement (BEM)

müssen Sie dafür sorgen, dass die Zutrittsrechte beschränkt sind.

## Schutz vor unberechtigtem Zugriff

Die Begriffe „Zutritt" und „Zugriff" werden oft als Synonym verstanden und miteinander vermengt.

---

**Merksatz: Zutritt meint einen Raum, ein Gebäude, ein Gelände körperlich zu betreten.**

---

**Merksatz: Zugriff meint auf Informationen, Daten oder andere Dingen zuzugreifen (d.h. Lesen, kopieren, ausdrucken, versenden etc.)**

---

Die Beschränkung vor unberechtigten Zugriff meint zum Beispiel die Einrichtung von:

- Passwortschutz von Computern und IT-Systemen
- Automatische Aktivierung von Passwort geschützten Bildschirmschonern
- Einrichtung von separaten IT-Zugriffsrechen
- Abschließen von Schränken und Schubläden
- Verschlüsseln von Informationen auf USB-Sticks und Laptops etc.

## Schutzsysteme zum Schutz vor sog. Viren, Trojanern oder anderen Malware

Damit sind verschiedene IT-Schutzprogramme gemeint, wie zum Beispiel

- Firewall
- Virenscanner

Wenn Sie ein KMU sind, sollten Sie diese Schutzsysteme nicht selber basteln. Überlassen sie dies den IT-Profis.

---

**Tipp: Legen Sie die Verantwortlichkeiten in der IT-Sicherheitsrichtlinie fest und sorgen Sie dafür, dass die Mitarbeiter die Schutzsysteme nicht umgehen können.**

---

## Reaktion auf einen IT-Sicherheitsvorfall

Ein IT-Sicherheitsvorfall kann die Existenz Ihres Unternehmens Bedrohen. Hier geht es nicht nur um die Meldepflichten nach der DS-GVO, die ich an einer anderen Stelle ausführlich beschrieben habe, hier geht es um den IT-Kern Ihres Unternehmens.

Denken Sie daran, wir leben im Zeitalter der Digitalisierung. Alles hat letztlich einen Bezug zur IT.

Legen Sie den Ablauf bei einem IT-Sicherheitsvorfall in der IT-Sicherheitsrichtlinie fest.

## Reaktion bei Datenverlust oder unbeabsichtigter Datenlöschung

Ein Datenverlust oder eine unbeabsichtigte Datenlöschung hat erhebliche, datenschutzrechtliche Auswirkungen für Sie.

Die Meldepflichten nach der DS-GVO habe ich bereits erläutert.

> **Merksatz: Daten sind der Rohstoff des digitalen Zeitalters. Wenn Sie Daten verlieren, kann Ihnen dies die Existenz gefährden.**

## Verfügbarkeit

Hier geht es darum, dass insbesondere in der Produktion und der Verwaltung die meisten Prozesse IT-gesteuert sind. Wenn Ihre IT für einen Tag ausfällt, werden Sie dies verschmerzen können.

Wenn Ihnen aber ein zentrales System über einen längeren Zeitraum nicht zur Verfügung steht, kann dies ebenfalls die Existenz gefährden.

## Sichere Datenübermittlung an Dritte

Stellen Sie sicher, dass die Übermittlung personenbezogener Daten ausschließlich in einer sicheren Art und Weise erfolgen.

Das heißt zum Beispiel:

- Verschlüsseln Sie E-Mails die Dateien mit personenbezogenen Daten enthalten
- Verschlüsseln Sie E-Mails, die besondere personenbezogene Daten enthalten
- Richten Sie für sensible Datenübertragungen VPN-Tunnel ein

---

**Tipp: Sofern Sie keine eigene IT haben, suchen Sie sich einen guten IT-Dienstleister und lassen Sie sich dabei von Profis unterstützen.**

---

## Sicheres Entsorgen von Informationen und Reduzierung des Speicherbedarfs durch regelmäßige Datenlöschung

Hier geht es wieder um das Thema der Meldepflicht eines Datenverlustes. Wenn Sie hierzu die Pressemeldungen verfolgen werden Sie erschreckt sein, wie oft in den Medien über Aktenfunde auf Deponien, in alten Lagerhäusern, in öffentlichen Altpapierbehältern berichtet wird.

Hierzu folgende Empfehlung:

- Regeln Sie das sichere vernichten in der IT-Sicherheitsrichtlinie
- Beauftragen Sie einen Entsorgungsbetrieb mit einem Nachweisbar guten Ruf
- Legen Sie die Schutzklassen fest (hierbei kann ihnen der Entsorgungsbetrieb mit Rat und Tat behilflich sein)
- Schließen Sie mit dem Entsorgungsbetrieb einen AV-Vertrag ab

### Sicheres Lagern und Vernichten von Geräten

Hier geht es um die Auskunftspflicht nach DS-GVO. Bei einer Abfrage müssen Sie alles beauskunften. Sie müssen auch wissen, was in ihren ganzen alten Geräten noch gespeichert ist.

> **Tipp: Gehen Sie in den Keller, die Lagerräume und die Büros und führen Sie alle alten Geräte, die Sie nie wieder brauchen, der gesicherten Vernichtung zu.**

Es kommt oft vor, dass Mitarbeiter meinen dem Unternehmen einen Gefallen zu tun, diese alten Geräte (z.B. Computer, Handys, Smartphones) zu verkaufen.

> **Vorsicht: Ein meldepflichtiger Datenverlust übersteigt die Einnahme aus dem Verkauf bei weitem. Daher: Alles in die gesicherte Entsorgung geben. Keine Ausnahmen machen!**

### Externe Netzwerkzugriffe

Regeln Sie das Thema der externen Netzzugriffe. Immer wenn ein Dritter auf Ihre Netzwerke zugreifen kann, brauchen Sie einen AV-Vertrag.

> **Tipp: Schließen Sie mit allen Auftragnehmern (z.B. IT-Dienstleister die Fernwartung durchführen) einen AV-Vertrag ab.**

## Kapitel 3.5 – Software-Lizenzen und Copyright

Mitarbeiter und kleinere Unternehmen neigen dazu, am liebsten kostenfreie Produkte aus dem Internet herunter zu laden.

Gehen sie hier mit einer gewissen Vorsicht heran und beachten Sie folgende Vorschläge:

- Legen Sie fest, dass nur die IT-Abteilung Software herunterladen und installieren darf
- Achten Sie immer auf die Lizenzbedingungen der Software

> **Tipp:** Untersagen Sie allen Mitarbeitern das Einspielen von Software auf die IT-System ohne Vorliegen einer gültigen Lizenz oder einer sonstigen Rechtsgrundlage.

> **Tipp:** Verbieten Sie allen Mitarbeiter das Einspielen privater Software.

## Kapitel 3.6 – Internetnutzung

Der Umgang mit dem Internet hat sich in den letzten 30 Jahren langsam in die Unternehmen eingeschlichen. Mittlerweile haben wahrscheinlich die meisten Mitarbeiter im Verwaltungsbereich einen Internet-Zugriff.

In der Regel haben Sie hierzu keine Regelung.

> **Herzlichen Glückwunsch:** Sie haben die Herrschaft über Ihre IT-Systeme verloren und dürfen nun alle Sicherheitseinrichtungen abschalten.

Das fast alle damit in der Vergangenheit sehr locker umgegangen sind heißt nicht, dass es richtig ist.

> **Daher empfehle ich Ihnen umgehend das folgende in Ihrem Unternehmen in Kraft zu setzen:**

„Das Internet steht Mitarbeitern im Rahmen des dienstlichen Gebrauchs zur Verfügung. Die private Nutzung ist ausdrücklich untersagt.

Bei der dienstlichen Nutzung sind folgende Regeln zu beachten:

- Die Benutzung des Internets darf Sicherheits- und andere Richtlinien nicht verletzen.
- Die Verpflichtungserklärung zur Nutzung des Internets, muss beachtet werden.

- Der Down- oder Upload von Software, ohne vorherige Einwilligung der IT-Abteilung ist untersagt.
- Daneben ist jedwede Handlung, die Interessen des Unternehmens beeinträchtigen könnten, untersagt. Hierzu zählt unter anderem der Down- und/oder Upstream von Filmen, Filmsequenzen, Musikstücken, Musiksequenzen, urheberrechtlich geschützten Werken oder vergleichbar geschützter Inhalte.

Sofern ein Verstoß von Mitarbeitern gegen die vorgenannten Regelungen dazu führt, dass ein Rechteinhaber gegen das Unternehmen vorgeht (z.B. Unterlassungserklärung) behält sich das Unternehmen rechtliche Schritte gegen den verantwortlichen Mitarbeiter vor.

Die Nutzung des Internet ist Bestandteil der Arbeit und nicht mehr wegzudenken. Hier sind viele wichtige Daten, Illustrationen, Erklärungen und andere Kommentare zu finden, die für geschäftliche Belange Verwendung finden können.

Allerdings beinhalten einige Seiten des Internets solches Material, das gegen die guten Sitten verstößt; zum Beispiel gibt es dort Seiten, die sexuellen, Gewalt verherrlichenden oder diskriminierenden Inhalt verbreiten. Es ist verboten, auf solche Seiten zuzugreifen.

Das Unternehmen toleriert den Missbrauch von unternehmenseigenen Ressourcen nicht.

Um die Einhaltung dieser Richtlinie zu gewährleisten, wird die individuelle Verwendung des Internets protokolliert. Daneben können in Stichproben weitere Kontrollen durchgeführt werden."

Damit das Verbot datenschutzrechtlich seine Schutzwirkung entfaltet, müssen Sie folgende Schritte unbedingt beachten

Schritt 1    Verbot der privaten Nutzung

Schritt 2    Kontrolle der Einhaltung des Verbotes

Schritt 3    Dokumentation der Kontrolle

Schritt 4    Reaktion bei festgestellten Verstößen

Schritt 5    regelmäßige Information der Mitarbeiter

Herzlichen Glückwunsch, nun sind Sie wieder Herr über Ihre IT und bei Ihren Mitarbeitern/Beschäftigten völlig unbeliebt. Gut gemacht, lieber Datenschützer. (Lesen Sie die nächste Seite)

Die Aufsichtsbehörden erwarten die vorstehenden Schritte, bei der Reaktion auf eine unerlaubte Internetnutzung haben Sie aber Handlungsfreiheit.

Tipp: Ein erhobener Zeigefinger und der mündliche Hinweis reichen aus. Sie müssen niemanden deswegen abmahnen oder entlassen. Es sei denn, Sie suchen einen Grund, um jemanden los zu werden, dann haben Sie hier möglicherweise eine Handhabe.

## Kapitel 3.7 – elektronische Post (E-Mail)

Ich habe meine erste E-Mail, wenn ich mich noch recht erinnere, im Jahr 1992 versendet. Bereits damals war den IT-lern und den Datenschutzbeauftragten klar, dass eine E-Mail nichts anderes ist wie eine offen versendete Postkarte.

Wir haben aber die E-Mail in den letzten 26 Jahren wie ein Einwurfeinschreiben behandelt, dass dem Empfänger persönlich übergeben wurde. Wir haben eine Sicherheit unterstellt, die niemals gegeben war.

Was in der Vergangenheit noch tolerierbar war ist vor dem Hintergrund der DS-GVO und der angekündigten ePrivacy Verordnung nicht mehr möglich.

Das Problem ist auch an dieser Stelle der Datenverlust und die daraus folgende Meldepflicht bei der Aufsichtsbehörde.

Als weiteres Problemfeld kommt das Problem der privaten Nutzung hinzu. Wie in Bezug auf das Internet wurde dies vielfach stillschweigend geduldet.

Vor dem Hintergrund der IT-Sicherheit, dem Risiko des Datenverlustes und den Problemfeldern, die mit der Erlaubnis der privaten Nutzung auf Sie zukommen, müssen Sie hier handeln.

**Sofern Sie die private Nutzung erlaubt oder geduldet haben, haben Sie auch hier die Herrschaft über ihre IT-Systeme verloren. Daraus folgt:**

- Abschaltung der Virenscanner
- Abschaltung aller Spam-Filter
- Verbot der gesamten Datensicherung der E-Mail-Server
- kein Zugriff bei Abwesenheit auf den E-Mail-Account des Mitarbeiters
- Verbot des Zugriffs auf falsch empfangene E-Mails (liegen meistens in einem speziellen Postfach)

Das ist kein Spaß, sondern ernst gemeint. Machen Sie dies nicht, stellt dies eine Bußgeld bewährten Verstoß dar, der mit bis zu 20 Millionen Euro bestraft werden kann. Aber Achtung: Tun Sie dies, stellt auch das einen Verstoß gegen die DS-GVO dar. Böse Nummer.

---

**Tipp: Sie müssen die private E-Mail-Nutzung <u>sofort</u> verbieten.**

---

Hierbei gilt die selbe Vorgehensweise, wie bei der Internetnutzung:

---

**Damit das Verbot datenschutzrechtlich seine Schutzwirkung entfaltet, müssen Sie folgende Schritte unbedingt beachten**

Schritt 1      **Verbot der privaten Nutzung**

Schritt 2      **Kontrolle der Einhaltung des Verbotes**

Schritt 3      **Dokumentation der Kontrolle**

Schritt 4      **Reaktion bei festgestellten Verstößen**

Schritt 5      **regelmäßige Information der Mitarbeiter**

---

**Herzlichen Glückwunsch, nun sind Sie wieder Herr über Ihre IT und bei Ihren Mitarbeitern/Beschäftigten völlig unbeliebt. Gut gemacht, lieber Datenschützer.**

**Die Aufsichtsbehörden erwarten die vorstehenden Schritte, bei der Reaktion auf eine unerlaubte private E-Mail-Nutzung haben Sie aber Handlungsfreiheit.**

**Tipp: Ein erhobener Zeigefinger und der mündliche Hinweis reichen aus. Sie müssen niemanden deswegen abmahnen oder entlassen. Es sei denn, Sie suchen einen Grund, um jemanden los zu werden, dann haben Sie hier möglicherweise eine Handhabe.**

## Kapitel 3.8 – Verbot der privaten Nutzung der IT und der betrieblichen Endgeräte

Aus demselben Gründen müssen Sie leider auch die private Nutzung der gesamten IT (PC´, Laptops, Handy, Smartphones, Server, Speichermedien und so weiter) verbieten.

Es gilt exakt derselbe Ablauf und dieselben Argumentationsketten.

## Kapitel 3.9 – Verbot der Nutzung privater Endgeräte

Dieses Verbot ist darin begründet, dass das Übertragen personenbezogener Daten des Unternehmens auf das private Endgerät eines Mitarbeiters einen meldepflichtigen Datenverlust darstellt.

Die personenbezogenen Daten verlassen den Herrschaftsbereich des Unternehmens. Sie haben keinen Zugriff auf das private Endgerät.

Daneben besteht aufgrund des Löschrechts nach Artikel 17 DS-GVO die Problematik, dass Sie personenbezogene Daten auch auf allen privaten Endgeräten der Beschäftigten löschen müssen. Dies ist aber rechtlich nicht durchsetzbar, da das Unternehmen keinen Zugriff auf die privaten Endgeräte der Mitarbeite hat. Bei der Erlaubnis der privaten Nutzung können Sie das Recht auf Löschung nicht erfüllen.

---

**Tipp: Verbot der Nutzung privater Endgeräte**

---

Allerdings gibt es hier tatsächlich im Rahmen des BYOD (bring your own device) einen rechtlichen Handlungsspielraum, der DS-GVO konform ist.

---

**Tipp: Sie können Ihren Mitarbeiter auf den Endgeräten einen sog. „Container" einrichten lassen (z.B. Citrix-Server-Lösung). In diesem Container dürfen die Mitarbeiter auf ihrem privaten Endgerät dienstliche Daten einsehen. Wichtig ist nur: Die Daten dürfen den Container nicht verlassen.**

---

Unterlegen Sie die BYOD-Nutzung mit einer Betriebsvereinbarung bzw. einer Einwilligungserklärung des Mitarbeiters. Es wird die Meinung vertreten, dass Sie in diesem Fall am besten beides verwenden.

Bei einem Widerruf der Einwilligung, müssen Sie dem Mitarbeite umgehend alle Rechte entziehen und den Container per Fernwartung auf dem Endgerät des Mitarbeiters löschen.

## Kapitel 3.10 – Verbot der Nutzung von WhatsApp und anderen Plattformen dieser Art

Die Nutzung von WhatsApp ist bei Mitarbeiten sehr beliebt. Aus demselben Gründen wie die private Nutzung.

Sie haben aber das Problem, dass Sie die Kontrolle über die personenbezogenen Daten verlieren.

---

**Tipp: Verbieten Sie die dienstliche Nutzung von WhatsApp, Facebook und allen anderen Messenger Diensten.**

---

Es gibt mittlerweile verschiedene Unternehmen, die sehr gute Mitarbeiter-Apps anbieten. Diese beinhalten auch die Möglichkeit zur Einrichtung von Gruppenfunktionen (ähnlich WhatsApp).

Der Nachteil, wie immer bei guten Produkten die verantwortlich mit personenbezogenen Daten umgehen: Diese kosten Geld. Meines Erachtens ist das allerdings sehr gut angelegtes Geld.

---

**Tipp: Schauen Sie sich die Angebote an und lassen Sie sich beraten.**

---

# Kapitel 4 – Die Auftragsverarbeitung

Ich habe länger darüber nachgedacht, ob ich diesem Thema tatsächlich eine eigene Kapitelüberschrift widmen soll, denn inhaltlich ist es mit dieser einen Seite abgehandelt. Wie Sie sehen können, habe ich mich dafür entschieden.

Sie müssen mit allen Auftragsverarbeitern, die in Ihrem Auftrag personenbezogene Daten verarbeiten einen AV-Vertrag abschließen. Die größte Diskussion habe ich hierzu mit einem Anwalt geführt, der sich trotz der eindeutigen gesetzlichen Vorgabe vehement geweigert hat, für das von ihm beratene Unternehmen einen AV-Vertrag vorzulegen. Ich habe mich letzten Endes durchgesetzt. Die DS-GVO lässt an dieser Stelle keinen Interpretationsspielraum zu.

Ihre Aufgabe besteht daher in den folgenden Schritten:

1. Klären Sie, wo überall in Ihrem Unternehmen Auftragsverarbeitung erfolgt
2. Erstellen Sie eine Liste der Auftragsverarbeiter
3. Prüfen Sie, ob AV-Verträge vorliegen
4. Wenn nein, schreiben Sie den Auftragsverarbeiter an und verlangen Sie die Vorlage eines AV-Vertrages
5. Sofern Sie selbst AV-Verträge erstellen wollen, dann orientieren Sie sich an dem Muster des GDD oder der Verlautbarung der bayerischen Aufsichtsbehörde für den Datenschutz. Beide Ansätze sind m.E. gut verwendbar.
6. Schließen Sie die AV-Verträge ab
7. Überwachen Sie die Einhaltung der Verträge durch den Auftragnehmer

**Tipp: Regeln Sie bei allen AV-Verträge insbesondere die Meldepflicht bei Datenverlusten und den Nachweis der Einhaltung der technisch organisatorischen Maßnahmen (TOM) durch den Auftragnehmer.**

# Kapitel 5 – Die Informationspflichten nach Artikel 13

Die Erfüllung der Informationspflichten entsprechend der DS-GVO haben einen hohen Stellenwert in der Gesamtkonstruktion der Rechte der betroffenen Personen. Deshalb widme ich dieser Verpflichtung (die Gleichzeitig ein zentrales Recht der betroffenen Personen darstellt) ein umfangreiches Kapitel und einige Anhänge.

## Kapitel 5.1 – Allgemeine Geschäftsbedingungen (AGB)

Auf die Allgemeinen Geschäftsbedingungen gehe ich nicht weiter ein. Dafür sind die Fachjuristen da, welche die AGB formvollendet erarbeiten. Es macht in der heutigen Zeit keinen Sinn mehr, die AGB als Nichtjurist zu erstellen oder zu kommentieren.

---

**Tipp: Lassen Sie Ihre AGB durch einen Juristen auf Konformität mit der DS-GVO überprüfen**

---

## Kapitel 5.2 – Datenschutzerklärung

Nach allgemein vorherrschender Meinung müssen Sie, ergänzend zu den AGB, eine vollständige und umfassende Datenschutzerklärung abgeben und veröffentlichen.

Für das Unternehmen, bei dem ich beschäftigt bin, hat ein Jurist die Datenschutzerklärung überarbeitet. Heraus gekommen ist eine 21-Seiten lange Datenschutzerklärung, die in unserem Hause an den verschiedensten Stellen Verwendung findet.

Diese Datenschutzerklärung richtet sich aber in letzter Konsequenz nicht an die betroffenen Personen (z.B. Kunden), sondern dient der Abwehr der Abmahnindustrie. Diese Datenschutzerklärung ist von einem Juristen als Abwehr anderer Juristen gedacht.

Die normalen Bürger können damit meiner Meinung nach nicht viel anfangen. Der normale Bürger ist vom Umfang und der Komplexität überfordert.

Daher verwenden wir als zweites Instrument doppelseitige Informationsblätter. Diese sind so geschrieben, dass unsere Kunden sie tatsächlich auch verstehen.

---

**Tipp: Lassen Sie Ihre Datenschutzerklärung durch einen Juristen erstellen und kopieren Sie nicht einfach irgendetwas aus dem Internet.**

---

Kunden müssen die Datenschutzerklärung zur Kenntnis nehmen und Sie müssen diese Kenntnisnahme nachweisen können. Im Offline-Geschäft legen Sie diese bei Vertragsabschluss dem Kunden vor oder halten Sie diese zumindest zur Einsichtnahme bereit und lassen Sie es sich unterschreiben. Im Online-Handel müssen Sie dies in elektronischer Form sicherstellen.

## Kapitel 5.3 – Über was müssen Sie wann informieren

Bei den Informationspflichten wird zwischen folgenden Informationen unterschieden:

1. Informationen die Sie zum Zeitpunkt der Datenerhebung zur Verfügung stellen müssen
2. Informationen die Sie zum Zeitpunkt der Datenerhebung bereitstellen müssen

Diese Unterscheidung hat für die Praxis sehr große Bedeutung. Denn hierdurch wird der Umfang der Informationen deutlich reduziert. Insbesondere da es derzeit herrschende Meinung ist, dass es ausreicht den zweiten Teil der Informationen auf der Webseite ihres Unternehmens bereit zu stellen.

---

**Bei diesen Informationspflichten hat es der Gesetzgeber sehr einfach gemacht: Der Artikel 13 DS-GVO dient tatsächlich als Checkliste. Deshalb gebe ich diesen nachfolgend einfach wieder:**

---

1. **Werden personenbezogene Daten bei der betroffenen Person erhoben, so teilt der Verantwortliche der betroffenen Person zum Zeitpunkt der Erhebung dieser Daten Folgendes mit:**

   1. den Namen und die Kontaktdaten des Verantwortlichen sowie gegebenenfalls seines Vertreters;

   2. gegebenenfalls die Kontaktdaten des Datenschutzbeauftragten;

   3. die Zwecke, für die die personenbezogenen Daten verarbeitet werden sollen, sowie die Rechtsgrundlage für die Verarbeitung;

   4. wenn die Verarbeitung auf Artikel 6 Absatz 1 Buchstabe f beruht, die berechtigten Interessen, die von dem Verantwortlichen oder einem Dritten verfolgt werden;

   5. gegebenenfalls die Empfänger oder Kategorien von Empfängern der personenbezogenen Daten und

   6. gegebenenfalls die Absicht des Verantwortlichen, die personenbezogenen Daten an ein Drittland oder eine internationale Organisation zu übermitteln, sowie das Vorhandensein oder das Fehlen eines Angemessenheitsbeschlusses der Kommission oder im Falle von Übermittlungen gemäß Artikel 46 oder Artikel 47 oder Artikel 49 Absatz 1 Unterabsatz 2 einen Verweis auf die geeigneten oder angemessenen Garantien und die Möglichkeit, wie eine Kopie von ihnen zu erhalten ist, oder wo sie verfügbar sind.

2. **Zusätzlich zu den Informationen gemäß Absatz 1 stellt der Verantwortliche der betroffenen Person zum Zeitpunkt der Erhebung dieser Daten folgende weitere Informationen zur Verfügung, die notwendig sind, um eine faire und transparente Verarbeitung zu gewährleisten:**

   1. die Dauer, für die die personenbezogenen Daten gespeichert werden oder, falls dies nicht möglich ist, die Kriterien für die Festlegung dieser Dauer;

2. das Bestehen eines Rechts auf Auskunft seitens des Verantwortlichen über die betreffenden personenbezogenen Daten sowie auf Berichtigung oder Löschung oder auf Einschränkung der Verarbeitung oder eines Widerspruchsrechts gegen die Verarbeitung sowie des Rechts auf Datenübertragbarkeit;

3. wenn die Verarbeitung auf Artikel 6 Absatz 1 Buchstabe a oder Artikel 9Absatz 2 Buchstabe a beruht, das Bestehen eines Rechts, die Einwilligung jederzeit zu widerrufen, ohne dass die Rechtmäßigkeit der aufgrund der Einwilligung bis zum Widerruf erfolgten Verarbeitung berührt wird;

4. das Bestehen eines Beschwerderechts bei einer Aufsichtsbehörde;

5. ob die Bereitstellung der personenbezogenen Daten gesetzlich oder vertraglich vorgeschrieben oder für einen Vertragsabschluss erforderlich ist, ob die betroffene Person verpflichtet ist, die personenbezogenen Daten bereitzustellen, und welche mögliche Folgen die Nichtbereitstellung hätte und

6. das Bestehen einer automatisierten Entscheidungsfindung einschließlich Profiling gemäß Artikel 22 Absätze 1 und 4 und – zumindest in diesen Fällen – aussagekräftige Informationen über die involvierte Logik sowie die Tragweite und die angestrebten Auswirkungen einer derartigen Verarbeitung für die betroffene Person.

3. Beabsichtigt der Verantwortliche, die personenbezogenen Daten für einen anderen Zweck weiterzuverarbeiten als den, für den die personenbezogenen Daten erhoben wurden, so stellt er der betroffenen Person vor dieser Weiterverarbeitung Informationen über diesen anderen Zweck und alle anderen maßgeblichen Informationen gemäß Absatz 2 zur Verfügung.

4. Die Absätze 1, 2 und 3 finden keine Anwendung, wenn und soweit die betroffene Person bereits über die Informationen verfügt.

## Kapitel 5.4 – Impressum auf Webseiten

Unabhängig von der DS-GVO müssen Sie das Impressum auf Ihrer Webseite immer aktuell halten, da Sie ansonsten Abmahnanwälten das Geldverdienen sehr leicht machen. Wenn Sie ein wenig „googeln" gehen, werden Sie hierzu sehr viele Hinweise finden. Deshalb gehe ich an dieser Stelle nicht weiter darauf ein.

---

**Tipp: Überprüfen Sie regelmäßig ihr Impressum und passen Sie dieses an die aktuelle Rechtsprechung, um Abmahnanwälten das Geldverdienen nicht noch leichter zu machen.**

---

## Kapitel 5.5 – Informationsblätter nach Artikel 13 DS-GVO

Die im vorhergehenden Punkt beschriebene Datenschutzerklärung ist ein juristisches Instrument, dass ein Unternehmen zwingend haben muss. Die Informationsblätter dienen der Information des Kunden. In dieser Form entfalten Sie keinen rechtsverbindlichen Charakter.

Aber, diese Informationsblätter kommen der eigentlichen Intention des Gesetzgebers am nächsten. Der Gesetzgeber möchte, dass die Verantwortliche Stelle die betroffene Person umfassend, in einer allgemein verständlichen Sprache informiert. Das ist das Ziel dieser Vorschrift.

Ein Unternehmen hat in der Regel nicht nur personenbezogene Daten einer einzigen Gruppe von Personen. Sie haben meistens auch mehr als nur einen Zweck für die Verarbeitung.

---

**Tipp: Erstellen Sie doppelseitige Informationsblätter für die unterschiedlichen Zielgruppen**

---

Erstellen Sie Beispielsweise folgende Informationsblätter:

- Abonnement-Kunden
- Kunden im Online-Versandhandel
- Werbekunden und sonstige Vertragspartner

- Social Media Auftritt (z.B. für Ihren Facebook Auftritt)
- Auftragnehmer und Lieferanten
- Vertriebspartner (z.B. Makler, externe Händler)
- Bewerberdaten
- Videoüberwachung
- elektronisches Schließsystem
- Fotografien

Der Aufbau dieser Informationsblätter kann standardisiert erfolgen. Der Inhalt muss natürlich individuell angepasst werden. Als Beispiel füge ich als Anlage ein Informationsblatt zur Videoüberwachung bei.

---

**Tipp: Bei neuen Kunden oder Vertragspartnern händigen Sie das Merkblatt direkt bei Abschluss des Vertrages aus.**

---

**Tipp: Nehmen Sie das Merkblatt in Ihre Webseite mit auf. Beispielsweise in die Rubrik „Datenschutz"**

## Kapitel 5.6 – Informationsblatt: Videoüberwachung

Bei der Videoüberwachung müssen Sie die betroffene Person vor der Datenerhebung informieren. Das heißt Sie müssen die Information so anbringen, dass diese vor Betreten des überwachten Bereiches gelesen werden kann.

Derzeit besteht seitens der Aufsichtsbehörde für den Datenschutz die Auffassung, dass folgender Aufkleber anzubringen ist:

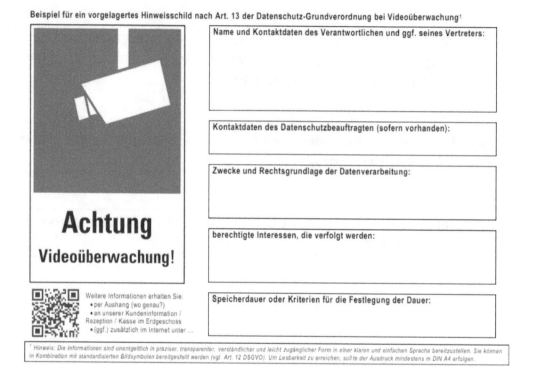

Quelle: https://www.lfd.niedersachsen.de/startseite/dsgvo/

Daneben muss im überwachten Bereich ein allgemeiner Informationsaushang erfolgen. Hierzu habe ich als Anlage das Informationsblatt beigefügt. Dieses Informationsblatt beinhaltet alle von der Aufsichtsbehörde geforderten Angaben.

## Kapitel 5.7 – Informationsblatt: Fotografien

Wenn ich die derzeitigen Meinungen über die Rechtmäßigkeit der Erstellung von Fotografien lese gibt es nur noch zwei Wege: Ausschließlich private Nutzung oder Journalismus. Alles andere wäre verboten.

Ich halte das für nicht zielführend, da ich nicht davon ausgehe, dass der EU-Gesetzgeber die EU in das Jahr 1825 zurückführen möchte (die Fotografie wurde im Jahr 1826/1827 erfunden.

Das Problem bei diesem Thema sind aus meiner Sicht auch wieder nicht die Aufsichtsbehörden für den Datenschutz. Sofern diese überhaupt die Zeit haben sich mit dieser Thematik zu beschäftigen, werden die Aufsichtsbehörden bei Beschwerden zu diesem Thema mit der gebotenen Umsicht agieren.

Nein, das Problem ist die Abmahnindustrie. Was soll man aber nun machen?

- Mitarbeiter Fotos

  Lassen Sie die Mitarbeiter eine Einwilligung unterschreiben. Ohne Einwilligung sollte Sie keine Fotos von Mitarbeitern verwenden

- Einzelfotos von Dritten (z.B. Models)

  Schließen Sie mit dem Dritten (z.B. Model) einen Vertrag ab, der alles rund um die Verwendung des Fotos regelt und der alle Informationspflichten enthält.

- Fotos bei Veranstaltungen

  Stellen Sie bei Veranstaltungen, bei denen Sie Fotos machen, am Eingang oder bei öffentlichen Plätzen an verschiedenen Stellen, einen Ständer hin und informieren Sie die Gäste. Nehmen Sie hierzu die beigefügte Anlage zur Videoüberwachung als Muster und passen Sie diese an.

# Kapitel 6 – Umgang mit den Rechten der betroffenen Personen oder wie mache ich die Betroffenen glücklich und vermeide Beschwerden bei der Aufsichtsbehörde für den Datenschutz

Die Rechte der betroffenen Personen sollen ein Gegengewicht zu den Erlaubnistatbeständen für die Verarbeitung personenbezogener Daten darstellen.

Warum Gegengewicht? Die Rechte sind doch umfassend und stellen die KMU vor erhebliche Probleme. Ist dies nicht ein Ungleichgewicht zu Lasten der KMU? Bei der gesetzgeberischen Entwicklung der DS-GVO wurde das Ziel verfolgt die folgenden Interessen umfassend zu berücksichtigen:

| | |
|---|---|
| Interesse 1 | Der Datenschutz soll dem freien Datenverkehr innerhalb der EU nicht mehr im Wege stehen |
| Interesse 2 | Die Unternehmen sollen mit Daten Geld verdienen dürfen |
| Interesse 3 | Die staatlichen Organe (z.B. Polizei, Steuer- und Finanzverwaltung, Gesundheitswesen) sollen jederzeit vollen Zugriff auf personenbezogene Daten erhalten können. Der Datenschutz soll den staatlichen Organen nicht mehr im Wege stehen |
| Interesse 4 | Das Grundrecht der Bürger nach Artikel 8 der Charta der Grundrechte der Europäischen Union |

Die DS-GVO verfolgt das Ziel, all diese sich wiedersprechenden Interessen übereinander zu bringen. Daraus folgte ein hochkomplexes Datenschutzrecht und sehr weitgehende Rechte der betroffenen Personen.

Das diese Rechte gegenüber den staatlichen Organen wieder eingeschränkt wurden ist ein anderes Thema, dass ich hier nicht kommentieren werde. Nur so viel: Ich halte die staatlichen Zugriffsrechte für extrem bedenklich und hoch riskant in Bezug auf unsere freiheitlichen Rechte.

Nach meiner festen Überzeugung, können Sie mit der ernsthaften Umsetzung dieser Rechte nicht nur gegenüber der Aufsichtsbehörde für den Datenschutz deutliche Pluspunkte sammeln, sondern auch bei Ihren Kunden. Wenn Sie diese Rechte ernst nehmen, machen Sie ihren Kunden damit deutlich, dass Sie <u>ihn</u> ernst nehmen.

---

**Tipp: Achten Sie im täglichen Geschäft auf die Umsetzung der Rechte der betroffenen Personen. Die betroffenen Personen werden glücklich und zufrieden sein, weil Sie sie ernst nehmen. Mit dem Ergebnis, dass die betroffenen Personen wegen Datenschutz nicht zu ihrem Rechtsanwalt oder zur Aufsicht rennen werden.**

**Sie werden sehr schnell merken, dass sie damit an der Datenschutzfront Ruhe haben werden. Auch wenn Sie vielleicht in der Innenansicht ihres Unternehmens nicht jedes Detail umsetzen können.**

**Beachten Sie diese Rechte und Sie werden in Bezug auf den Datenschutz gemütlich über den Tsunami drüber schaukeln, der viele andere Unternehmen richtig durchschütteln wird.**

---

## Kapitel 6.1 – Information der Betroffenen nach Artikel 13

Habe ich im Kapitel 5 im Detail beschrieben.

## Kapitel 6.2 – Information der Betroffenen nach Artikel 14

Bei den Informationspflichten wird zwischen folgenden Informationen unterschieden:

1    Informationen die Sie zum Zeitpunkt der Datenerhebung zur Verfügung stellen müssen
2    Informationen die Sie zum Zeitpunkt der Datenerhebung bereitstellen müssen

Diese Unterscheidung hat für die Praxis sehr große Bedeutung. Denn hierdurch wird der Umfang der Informationen deutlich reduziert. Insbesondere da es derzeit herrschende Meinung ist, dass es ausreicht den zweiten Teil der Informationen auf der Webseite Ihres Unternehmens bereit zu stellen.

Die zentrale Frage hierbei ist: Wer informiert die betroffene Person.

---

**Tipp: Am besten vereinbaren Sie mit dem Übermittler der Daten, dass dieser die betroffene Person informiert.**

**Sollte dies nicht möglich sein, dann bleibt Ihnen nichts anderes übrig als die betroffene Person selbst zu informieren. Tun Sie dies nicht, haben Sie wieder eine Lücke für einen Abmahnanwalt geschaffen.**

**Natürlich kann auch die Aufsichtsbehörde für den Datenschutz tätig werden, aber die Wahrscheinlichkeit ist wesentliche höher, dass Sie teure Post von einem Anwalt bekommen.**

---

**Bei diesen Informationspflichten hat es der Gesetzgeber sehr einfach gemacht: Der Artikel 14 DS-GVO dient tatsächlich als Checkliste. Deshalb gebe ich diesen nachfolgend einfach wieder:**

---

1. Werden personenbezogene Daten nicht bei der betroffenen Person erhoben, so teilt der Verantwortliche der betroffenen Person Folgendes mit:

   1. den Namen und die Kontaktdaten des Verantwortlichen sowie gegebenenfalls seines Vertreters;

   2. zusätzlich die Kontaktdaten des Datenschutzbeauftragten;

   3. die Zwecke, für die die personenbezogenen Daten verarbeitet werden sollen, sowie die Rechtsgrundlage für die Verarbeitung;

4. die Kategorien personenbezogener Daten, die verarbeitet werden;

5. gegebenenfalls die Empfänger oder Kategorien von Empfängern der personenbezogenen Daten;

6. gegebenenfalls die Absicht des Verantwortlichen, die personenbezogenen Daten an einen Empfänger in einem Drittland oder einer internationalen Organisation zu übermitteln, sowie das Vorhandensein oder das Fehlen eines Angemessenheitsbeschlusses der Kommission oder im Falle von Übermittlungen gemäß Artikel 46 oder Artikel 47 oder Artikel 49 Absatz 1 Unterabsatz 2 einen Verweis auf die geeigneten oder angemessenen Garantien und die Möglichkeit, eine Kopie von ihnen zu erhalten, oder wo sie verfügbar sind.

2. Zusätzlich zu den Informationen gemäß Absatz 1 stellt der Verantwortliche der betroffenen Person die folgenden Informationen zur Verfügung, die erforderlich sind, um der betroffenen Person gegenüber eine faire und transparente Verarbeitung zu gewährleisten:

1. die Dauer, für die die personenbezogenen Daten gespeichert werden oder, falls dies nicht möglich ist, die Kriterien für die Festlegung dieser Dauer;

2. wenn die Verarbeitung auf Artikel 6 Absatz 1 Buchstabe f beruht, die berechtigten Interessen, die von dem Verantwortlichen oder einem Dritten verfolgt werden;

3. das Bestehen eines Rechts auf Auskunft seitens des Verantwortlichen über die betreffenden personenbezogenen Daten sowie auf Berichtigung oder Löschung oder auf Einschränkung der Verarbeitung und eines Widerspruchsrechts gegen die Verarbeitung sowie des Rechts auf Datenübertragbarkeit;

4. wenn die Verarbeitung auf Artikel 6 Absatz 1 Buchstabe a oder Artikel 9 Absatz 2 Buchstabe a beruht, das Bestehen eines Rechts, die Einwilli-

gung jederzeit zu widerrufen, ohne dass die Rechtmäßigkeit der aufgrund der Einwilligung bis zum Widerruf erfolgten Verarbeitung berührt wird;

5. das Bestehen eines Beschwerderechts bei einer Aufsichtsbehörde;

6. aus welcher Quelle die personenbezogenen Daten stammen und gegebenenfalls ob sie aus öffentlich zugänglichen Quellen stammen;

7. das Bestehen einer automatisierten Entscheidungsfindung einschließlich Profiling gemäß Artikel 22 Absätze 1 und 4 und – zumindest in diesen Fällen – aussagekräftige Informationen über die involvierte Logik sowie die Tragweite und die angestrebten Auswirkungen einer derartigen Verarbeitung für die betroffene Person.

## Kapitel 6.3 – Auskunftsrecht der betroffenen Person nach Artikel 15

Der Text aus der DS-GVO ist selbsterklärend:

Die betroffene Person hat das Recht, von dem Verantwortlichen eine Bestätigung darüber zu verlangen, ob sie betreffende personenbezogene Daten verarbeitet werden; ist dies der Fall, so hat sie ein Recht auf Auskunft über diese personenbezogenen Daten und auf folgende Informationen:

1. die Verarbeitungszwecke;

2. die Kategorien personenbezogener Daten, die verarbeitet werden;

3. die Empfänger oder Kategorien von Empfängern, gegenüber denen die personenbezogenen Daten offengelegt worden sind oder noch offengelegt werden, insbesondere bei Empfängern in Drittländern oder bei internationalen Organisationen;

4. falls möglich die geplante Dauer, für die die personenbezogenen Daten gespeichert werden, oder, falls dies nicht möglich ist, die Kriterien für die Festlegung dieser Dauer;

5. das Bestehen eines Rechts auf Berichtigung oder Löschung der sie betreffenden personenbezogenen Daten oder auf Einschränkung der Verarbeitung durch den Verantwortlichen oder eines Widerspruchsrechts gegen diese Verarbeitung;

6. das Bestehen eines Beschwerderechts bei einer Aufsichtsbehörde;

7. wenn die personenbezogenen Daten nicht bei der betroffenen Person erhoben werden, alle verfügbaren Informationen über die Herkunft der Daten;

8. das Bestehen einer automatisierten Entscheidungsfindung einschließlich Profiling gemäß Artikel 22 Absätze 1 und 4 und – zumindest in diesen Fällen – aussagekräftige Informationen über die involvierte Logik sowie die Tragweite und die angestrebten Auswirkungen einer derartigen Verarbeitung für die betroffene Person.

9. Werden personenbezogene Daten an ein Drittland oder an eine internationale Organisation übermittelt, so hat die betroffene Person das Recht, über die geeigneten Garantien gemäß Artikel 46 im Zusammenhang mit der Übermittlung unterrichtet zu werden.

10. [1]Der Verantwortliche stellt eine Kopie der personenbezogenen Daten, die Gegenstand der Verarbeitung sind, zur Verfügung. [2]Für alle weiteren Kopien, die die betroffene Person beantragt, kann der Verantwortliche ein angemessenes Entgelt auf der Grundlage der Verwaltungskosten verlangen. [3]Stellt die betroffene Person den Antrag elektronisch, so sind die Informationen in einem gängigen elektronischen Format zur Verfügung zu stellen, sofern sie nichts anderes angibt.

11. Das Recht auf Erhalt einer Kopie gemäß Absatz 3 darf die Rechte und Freiheiten anderer Personen nicht beeinträchtigen.

Das Recht auf Auskunft über eine Datenübertragung in ein Drittland. Dies wird aber bereits mit den Informationspflichten abgedeckt.

Die Tücken liegen nicht im Textverständnis, sondern in der praktischen Ausführung: Sie müssen alles Beauskunften, was Sie gespeichert haben. Das heißt, dass Sie nicht nur das mitteilen müssen, was in Ihren Kundensystemen gespeichert ist, sondern auch was auch in den folgenden Systemen gespeichert wird:

- Server-Laufwerke
- diverse Datenbanken auf Server-Laufwerken
- Telefonserver
- Back-Up-Speichersystem
- Laptops
- Tablets
- Handys und Smartphones von Mitarbeitern und Führungskräften
- SIM-Karten
- SD-Speicherkarten
- digitale Kameras (z.B. in ihrer PR-Stabsstelle)
- Heimarbeitsplätze
- **private PCs und sonstige private Endgeräte der Mitarbeiter und der Führungskräfte (hierzu mehr an einer anderen Stelle, dick gedruckt, da dies in vielerlei Hinsicht ein sehr hohes Risiko für Sie darstellt)**
- sonstige Subsysteme (z.B. moderne Kopierer und Laserdrucker)
- Schatten-IT
- IT-System bei Auftragsverarbeitern
- USB-Speichersticks
- alte Rechner und Festplatten die ungenutzt im Keller rumstehen und verstauben und die sie längst (Ironie beachten) vergessen haben
- DVD-ROMS auf denen Daten gespeichert wurden
- Stand-Alone-Rechner
- Aktenordner (auch personenbezogene Dokumente in Papier unterliegen der DS-GVO)

Diese Aufzählung werden Sie im nachfolgenden Text nochmal finden.

Sie müssen alles Beauskunften. Können Sie dies? Ihre Antwort wird „Nein" lauten. Kein Unternehmen, keine Behörde innerhalb der gesamten EU kann dies. Was also nun?

---

**Tipp: Beauskunften Sie das, was ein Dritter nachvollziehen kann.**

---

- **Kundensysteme**
- **Personalsysteme**
- **Rechtsakten (Rechtsabteilung)**
- **Nennung der E-Mail-Adresse (bei elektronischer Auskunft)**

---

Ist dies ein Verstoß gegen die DS-GVO? Ja. Aber Sie haben keine andere Möglichkeit. Es sei denn, Sie kaufen eine komplett neue IT, vernichten ihr gesamtes Unternehmen und fangen neu an. Das ist leider die Wahrheit.

Meine Erwartungshaltung ist, dass die Aufsichtsbehörden für den Datenschutz dies sehr genau wissen und an dieser Stelle das Nachprüfen beenden und aufgrund des Gesamtzusammenhangs auf die Verhängung eines Bußgeldes verzichten werden.

Ehrlich gesagt gehe ich davon aus, dass selbst die Aufsichtsbehörden für den Datenschutz keine umfassende Auskunft über die bei ihnen gespeicherten Daten geben können.

## Kapitel 6.4 – Recht auf Berichtigung nach Artikel 16

Der Text aus der DS-GVO ist selbsterklärend:

„Die betroffene Person hat das Recht, von dem Verantwortlichen unverzüglich die Berichtigung sie betreffender unrichtiger personenbezogener Daten zu verlangen. 2Unter Berücksichtigung der Zwecke der Verarbeitung hat die betroffene Person das Recht, die Vervollständigung unvollständiger personenbezogener Daten – auch mittels einer ergänzenden Erklärung – zu verlangen."

Dieses Recht stellt Unternehmen vor kein Problem, da jedes Unternehmen, jeder Verein, jeder Selbständiger ein eigenes Interesse an korrekten Stammdaten hat.

Insofern freuen wir uns als Unternehmen über jeden Kunden der sich aufgrund der DS-GVO bei uns meldet, seine korrekten Daten mitteilt und um Änderung bittet.

## Kapitel 6.5 – Recht auf Vergessenwerden nach Artikel 17

In der ersten Fassung des Bundesdatenschutzgesetzes vom 20.12.1990 (also vor mittlerweile 28 Jahren) stand bereits das Recht auf Vergessen drin. Damals wurde dies im allerdings „Berichtigung, Löschung und Sperrung von Daten" genannt.

Ich bin derzeit sehr darüber überrascht, dass große Teile der IT-Industrie so tun, als wäre dies ein neues Recht, das plötzlich und völlig unerwartet über uns gekommen ist.

Sorry, das personenbezogene Daten zu löschen sind, wenn der Speicherzweck entfallen ist, ist ein sehr alter Hut.

Die Wahrheit ist nur: Es hat niemals irgendjemanden wirklich interessiert. Warum war das so? Ganz einfach, es hing kein echtes Preisschild (Bußgeld) daran. Wenn wirklich mal ein Bußgeld verhängt wurde, dann war dies doch in der Regel eher symbolisch gemeint.

Nun hat sich der Rechtsrahmen geändert und siehe da, selbst die Waldörfer haben ein Tool entwickelt mit dem personenbezogenen Daten in ihren Maschinen gelöscht werden können. Früher war dies nicht möglich, nun geht es.

Das ändert aber nichts daran, dass viele der derzeit am Markt verfügbaren IT-Systeme derzeit noch keine Daten löschen können. Da hat die IT-Industrie eine Hausaufgabe zu erledigen.

Hinzu kommt, dass nicht nur die personenbezogenen Daten in den Kern-IT-Systemen gelöscht werden müssen, sondern auch in jeder der ungezählten Excel-Listen und Access-Datenbanken die in Ihrem Unternehmen gespeichert sind.

Dazu müssen Sie sich auch noch um das Outlook-Grab kümmern, in welchem möglicherweise hunderttausende oder mehr E-Mals schlummern. Auch all diese E-Mails sind zu löschen, wenn der Speicherzweck entfallen ist.

Folgende Datengräber fallen mir noch ein (nicht abschließende Aufzählung):

- Server-Laufwerke
- diverse Datenbanken auf Server-Laufwerken
- Telefonserver

- Back-Up-Speichersystem
- Laptops
- Tablets
- Handys und Smartphones von Mitarbeitern und Führungskräften
- SIM-Karten
- SD-Speicherkarten
- digitale Kameras (z.B. in ihrer PR-Stabsstelle)
- Heimarbeitsplätze
- **private PCs und sonstige private Endgeräte der Mitarbeiter und der Führungskräfte (hierzu mehr an einer anderen Stelle, dick gedruckt, da dies in vielerlei Hinsicht ein sehr hohes Risiko für Sie darstellt)**
- sonstige Subsysteme (z.B. moderne Kopierer und Laserdrucker)
- Schatten-IT
- IT-System bei Auftragsverarbeitern
- USB-Speichersticks
- alte Rechner und Festplatten die ungenutzt im Keller rumstehen und verstauben und die sie längst (Ironie beachten) vergessen haben
- DVD-ROMS auf denen Daten gespeichert wurden
- Stand-Alone-Rechner
- Aktenordner (auch personenbezogene Dokumente in Papier unterliegen der DS-GVO)

Auf all diesen Speichermedien müssen die personenbezogenen Daten, wenn der Zweck entfallen ist, gelöscht werden. **Auf allen! Ohne Ausnahme!**

Können Sie das? Hat Ihre IT das im Griff? Haben Ihre Mitarbeiter das im Griff?

**Mein Tipp ist, dass Ihre Antwort lautet: „Nein".** Derzeit gehe ich davon aus, dass kein Unternehmen, keine Behörde und auch sonst niemand in der EU diesen Artikel auch nur annähernd umsetzen kann.

Dies liegt daran, dass die IT-System mittlerweile alles durchdringen und bei weitem nicht so stark vernetzt sind, wie der EU-Gesetzgeber aus den Werbebroschüren der IT-Industrie (damit meine ich Big Data) geglaubt haben. Was nun?

Ich bin davon überzeugt, dass die Kolleginnen und Kollegen von den Aufsichtsbehörden für den Datenschutz das genauso gut wissen wie ich. Meine Erwartungshaltung ist, dass durch die Aufsichtsbehörden dieses Thema mit Augenmaß behandelt werden wird.

Das bedeutet aber nicht, dass Sie sich beruhigt in die Ecke legen können. Sie müssen anfangen, sich mit dem Problem der Datenlöschung zu beschäftigen. Hierzu schlage ich folgende Schritte vor:

1. Verschaffen Sie sich einen Überblick über Ihre System (dies sollte bereits im Rahmen der Erstellung des Verfahrensverzeichnisses erfolgen)
2. Erarbeiten Sie ein Speicherkonzept
3. Fangen Sie an, Ihre Systeme zu ertüchtigen
4. Treten Sie an die IT-Dienstleister heran und fordern Sie diese auf, eine entsprechende Löschfunktion den Systemen einzubauen
5. Sensibilisieren Sie ihre Mitarbeiter, die alten Gräber auszuheben und die nicht mehr benötigten Daten zu löschen
6. Beginnen Sie mit der Datenlöschung

   Jetzt!

## Kapitel 6.6 – Recht auf Einschränkung der Verarbeitung nach Artikel 18

Hiermit ist das alt bekannte Recht auf Sperrung von Daten gemeint. Wenn personenbezogen Daten nicht mehr für im Rahmen des normalen Geschäfts zugänglich sein müssen oder der Speicherzweck entfallen ist, muss die Verarbeitung eingeschränkt werden, sofern eine Löschung nicht möglich oder nur mit einem unverhältnismäßig hohen Aufwand möglich ist, oder aus anderen Gründen eine weitere Speicherung erforderlich ist.

Dies deckt sich im Wesentlichen mit den Aussagen im vorhergehenden Kapitel zum „Recht auf Vergessenwerden".

Bei KMU betrifft dies im Wesentlichen personenbezogene Daten von ehemaligen Kunden, die aufgrund der steuerrechtlichen Regelungen (Abgabenordnung) noch aufbewahrt werden müssen, die aber im normalen Geschäftsbetrieb nicht mehr im regelmäßigen Zugriff liegen müssen.

Die ganzen im Kapitel „Recht auf Vergessenwerden" beschriebenen Problemfelder greifen auch hier. Auch dieses Recht wurde von der IT-Industrie nie wirklich ernst genommen und es genauso alt, wie die Verpflichtung zur Datenlöschung.

## Kapitel 6.7 – Recht auf Datenübertragbarkeit nach Artikel 20

Das Recht auf Datenübertragbarkeit führt bei vielen, insbesondere den größeren Unternehmen mit sehr vielen Kontakten zu Endkunden zu erheblichen Kopfschmerzen und Schweißausbrüchen.

Ich nenne diesen Artikel für mich, natürlich nur im Spaß und unter Aufsetzen meiner Narrenkappe **„DER ANTI FACEBOOK ARTIKEL"**.

Wie komme ich zu dieser Behauptung? Die DS-GVO ist nicht aus dem Zufall oder dem luftleeren Raum heraus entstanden. Der Gesetzgeber orientiert sich hierbei am aktuellen geschehen.

Hintergrund ist, dass die großen Social Media Anbieter lange Zeit der Meinung waren, dass jede Art von Datenschutz nicht für sie gilt. Das Sie im freien Raum operieren und eigentlich alles dürfen. Sie wollen ja schließlich nur das Beste für alle ihre Kunden (und ein wenig Profit für sich und ihre Anteilseigner). Diese Haltung hat zu verschiedenen Gegenmaßnahmen der EU geführt, die sich in der DS-GVO wiederfinden.

Eine hiervon ist das Recht auf Datenübertragbarkeit. Jede betroffene Person hat das Recht, alle Daten, die es dem Unternehmen zur Verfügung gestellt hat, in elektronischer Form zurück zu erhalten.

Facebook, WhatsApp und Co. Haben dieses Problem gelöst. Bei den gewaltigen Finanzmitteln dieser Unternehmen war es auch keine wirklich unlösbare Aufgabe. Aber nun haben alle anderen den Salat.

Die DS-GVO enthält keine Unterteilung nach Größenklassen. Die DS-GVO gilt gleichermaßen für den weltweit agierenden Internetgiganten, wie für die kleine Pommesbude, den Skat-Club, den kleinen Fußballverein oder einem einfachen Mittelständler.

Dumm gelaufen. Um Ausnahmetatbestände und den Einfallsreichtum der Juristen zu bändigen sitzen nun alle im selben Boot. Danke Facebook!

Nun genug der Schelte. Was ist zu tun?

Ich gehe davon aus, dass in der Praxis der KMU die Bitte von Kunden um eine elektronische zur Verfügungstellung der Daten ein Ausnahmetatbestand bleiben wird. Als Datenschutzbeauftragter in einem Unternehmen mit einem Kundenstamm von weit über 150.000 Dauerkunden und mehr als 50.000 temporären Kunden pro Jahr erwarte ich nicht mehr als 10 Ersuche von Kunden für eine Datenübertragung pro Jahr.

Das wird, nach meiner Erwartungshaltung, für das Unternehmen bei dem ich arbeite ein Ausnahmetatbestand bleiben. Genauso behandeln wir das auch. Wir richten keinen Prozess ein, ändern keine IT deswegen. Wir machen nur eines: Abwarten und Tee oder Kaffee trinken (je nach Vorliebe).

Sollte ein Kunde nun kommen, holen wir die Kundenstammdaten aus der IT, packen das in eine Excel-Liste und senden diesem dem Kunden (selbstverständlich verschlüsselt!) mit einer E-Mail zu. Fertig. Sollten einzelne IT-System das wieder erwarten nicht können, auch egal, dann tippen wir das halt ab. Macht bei erwarteten 10 Fällen im Jahr den Kohl auch nicht fett. Dieser Artikel ist damit erledigt.

## Kapitel 6.8 – Recht auf Widerspruch nach Artikel 21

Der Text aus der DS-GVO ist selbsterklärend:

1. [1]Die betroffene Person hat das Recht, aus Gründen, die sich aus ihrer besonderen Situation ergeben, jederzeit gegen die Verarbeitung sie betreffender personenbezogener Daten, die aufgrund von Artikel 6 Absatz 1 Buchstaben e oder f erfolgt, Widerspruch einzulegen; dies gilt auch für ein auf diese Bestimmungen gestütztes Profiling. [2]Der Verantwortliche verarbeitet die personenbezogenen Daten nicht mehr, es sei denn, er kann zwingende schutzwürdige Gründe für die Verarbeitung nachweisen, die die Interessen, Rechte und Freiheiten der betroffenen Person überwiegen, oder die Verarbeitung dient der Geltendmachung, Ausübung oder Verteidigung von Rechtsansprüchen.

2. Werden personenbezogene Daten verarbeitet, um Direktwerbung zu betreiben, so hat die betroffene Person das Recht, jederzeit Widerspruch gegen die Verarbeitung sie betreffender personenbezogener Daten zum Zwecke derartiger Werbung einzulegen; dies gilt auch für das Profiling, soweit es mit solcher Direktwerbung in Verbindung steht.

3. Widerspricht die betroffene Person der Verarbeitung für Zwecke der Direktwerbung, so werden die personenbezogenen Daten nicht mehr für diese Zwecke verarbeitet.

4. Die betroffene Person muss spätestens zum Zeitpunkt der ersten Kommunikation mit ihr ausdrücklich auf das in den Absätzen 1 und 2 genannte Recht hingewiesen werden; dieser Hinweis hat in einer verständlichen und von anderen Informationen getrennten Form zu erfolgen.

5. Im Zusammenhang mit der Nutzung von Diensten der Informationsgesellschaft kann die betroffene Person ungeachtet der Richtlinie 2002/58/EG ihr Widerspruchsrecht mittels automatisierter Verfahren ausüben, bei denen technische Spezifikationen verwendet werden.

6. Die betroffene Person hat das Recht, aus Gründen, die sich aus ihrer besonderen Situation ergeben, gegen die sie betreffende Verarbeitung sie betreffender personenbezogener Daten, die zu wissenschaftlichen oder historischen Forschungszwecken oder zu statistischen Zwecken gemäß Artikel 89 Absatz 1 erfolgt, Widerspruch einzulegen, es sei denn, die Verarbeitung ist zur Erfüllung einer im öffentlichen Interesse liegenden Aufgabe erforderlich.

---

**Tipp: Wenn ein Widerspruch hereinkommt, sollten Sie diesen bearbeiten und die betroffene Person über die Erledigung informieren. Fertig.**

---

# Kapitel 7 – Die Datenschutz-Folgenabschätzung (DSFA)

Bei bestimmten Arten von Verarbeitungen müssen Sie vor der Verarbeitung im Rahmen einer Beurteilung die Risiken für die betroffenen Personen, aus der Sicht der betroffenen Personen, betrachten.

Klingt einfach, stellt aber die Unternehmen vor massive Probleme, da es für Deutschland ein völlig neues Recht ist. Die DSFA kommt ursprünglich aus dem französischen Recht. Die Franzosen habe diese dann als bewährtes Instrument in die DS-GVO eingebracht.

## Kapitel 7.1 – Was ist das und wofür soll das gut sein?

Die Datenschutz-Folgenabschätzung (DSFA) ersetzt die Vorabkontrolle durch den Datenschutzbeauftragten aus dem alten Bundesdatenschutzgesetz. Die alte Vorabkontrolle wurde durch den Datenschutzbeauftragten durchgeführt. Die DSFA wird durch die Verantwortliche Stelle erstellt. Der Datenschutzbeauftragte wird lediglich beratend tätig. Und dies auch nur auf Anforderung.

Die Krux dabei ist, dass dies für Deutschland ein völlig neues Recht ist, die Aufsichtsbehörden bisher noch keine DSFA von Unternehmen auf den Tisch hatten, die Datenschutzbeauftragte selbst noch nie eine erstellt haben und eigentlich keiner weiß, was er nun machen soll.

Nun denn, ich habe bereits mehrere erstellt. Selbstverständlich nicht in meiner Funktion als Datenschutzbeauftragter, das darf ich nicht. Aber die Unternehmensleitung hat den Revisionsleiter (sprich mich) gebeten, das zu übernehmen. Entspricht dem Gesetz. Als Datenschutzbeauftragter darf ich auch noch andere Aufgaben im Unternehmen wahrnehmen. Das stellt somit gar kein Hindernis dar.

> **Tipp: Nehmen Sie hier Ihren Datenschutzbeauftragten in die Verantwortung, indem Sie ihn in einer _anderen_ Funktion (wegen der Weisungsfreiheit) mit der Erstellung der DSFA beauftragen. Dann muss er sich darum kümmern. Er ist auch derjenige der wissen muss, wie es geht.**

Der Gedanke bei der DSFA ist es, das Risiko für die Rechte der betroffenen Person aus dem Blickwinkel der betroffenen Person zu bewerten. Das heißt, dass Unternehmen muss bei der DSFA die eigenen Interessen zunächst nach hinten stellen und das Ganze mit der Brille der betroffenen Person betrachten.

Persönlich finde ich diesen Ansatz sehr gut. Die alte Vorabprüfung ist fast immer ins Leere gelaufen. Die Wahrheit ist, dass sie immer erst im Nachhinein (und eben nicht vorab) erstellt wurde und letztlich nur das beschrieben hat, was der Datenschutzbeauftragte vorgefunden hat. Eine Einflussnahme war dann nicht mehr möglich. Daher betrachte ich die DSFA als einen guten Schritt in die richtige Richtung.

## Kapitel 7.2 – Wann muss ich eine machen?

Im Gesetz steht hierzu folgendes:

1. [1]Hat eine Form der Verarbeitung, insbesondere bei Verwendung neuer Technologien, aufgrund der Art, des Umfangs, der Umstände und der Zwecke der Verarbeitung voraussichtlich ein hohes Risiko für die Rechte und Freiheiten natürlicher Personen zur Folge, so führt der Verantwortliche vorab eine Abschätzung der Folgen der vorgesehenen Verarbeitungsvorgänge für den Schutz personenbezogener Daten durch. [2]Für die Untersuchung mehrerer ähnlicher Verarbeitungsvorgänge mit ähnlich hohen Risiken kann eine einzige Abschätzung vorgenommen werden.

2. Der Verantwortliche holt bei der Durchführung einer Datenschutz-Folgenabschätzung den Rat des Datenschutzbeauftragten, sofern ein solcher benannt wurde, ein.

3. Eine Datenschutz-Folgenabschätzung gemäß Absatz 1 ist insbesondere in folgenden Fällen erforderlich:

    1. systematische und umfassende Bewertung persönlicher Aspekte natürlicher Personen, die sich auf automatisierte Verarbeitung ein-

schließlich Profiling gründet und die ihrerseits als Grundlage für Entscheidungen dient, die Rechtswirkung gegenüber natürlichen Personen entfalten oder diese in ähnlich erheblicher Weise beeinträchtigen;

2. umfangreiche Verarbeitung besonderer Kategorien von personenbezogenen Daten gemäß Artikel 9 Absatz 1 oder von personenbezogenen Daten über strafrechtliche Verurteilungen und Straftaten gemäß Artikel 10 oder

3. systematische umfangreiche Überwachung öffentlich zugänglicher Bereiche;

4. [1]Die Aufsichtsbehörde erstellt eine Liste der Verarbeitungsvorgänge, für die gemäß Absatz 1 eine Datenschutz-Folgenabschätzung durchzuführen ist, und veröffentlicht diese. [2]Die Aufsichtsbehörde übermittelt diese Listen dem in Artikel 68 genannten Ausschuss.

5. [1]Die Aufsichtsbehörde kann des Weiteren eine Liste der Arten von Verarbeitungsvorgängen erstellen und veröffentlichen, für die keine Datenschutz-Folgenabschätzung erforderlich ist. [2]Die Aufsichtsbehörde übermittelt diese Listen dem Ausschuss.

Die Aufsichtsbehörden hängen bisher hinter ihrer Aufgabe hinterher. Es wurde mit Stand Mai 2018 noch keine Listen veröffentlicht, wann eine DSFA erstellt werden muss und wann nicht.

Somit bleibt nur der Blick ins Gesetz, um sich diesem Thema anzunähern.

Wann muss eine DSFA erfolgen:

- bei einer Videoüberwachung immer (Artikel 35 Absatz 4 lit. C)
- bei einer systematischen und umfassenden Bewertung einer Person
- umfangreiche Verarbeitung besonderer Kategorien personenbezogener Daten
- hohe Risiko bei einer neuen Verarbeitung in Bezug auf die Rechte betroffener Personen

---

**Tipp: Nachfolgend eine Aufstellung, wo ich eine DSFA durchgeführt habe:**

- **Videoüberwachung**

- **betriebliches Gesundheitsmanagement**

- **umfassende Datenerfassung telemetrischer Fahrzeugdaten mit**

  **Zuordnung zu den Fahrzeugführern**

- **Erstellung von Bewegungsprofilen im Rahmen einer speziellen**

  **App-Lösung für Kunden**

---

## Kapitel 7.3 – Wie soll ich das als KMU machen?

Ich habe als Grundlage die Veröffentlichung des ULD (Unabhängiges Landeszentrum für Datenschutz Schleswig-Holstein) genommen. Daneben gibt es mittlerweile Veröffentlichung von verschiedenen Aufsichtsbehörden.

Einen Königsweg der mit wenig Arbeit zum Ziel führt kann ich leider nicht anbieten. Wenn Sie zu dem Ergebnis kommen, dass Sie als Unternehmen eine DSFA durchführen müssen, dann Beauftragen Sie Ihren Datenschutzbeauftragten (in einer anderen Funktion natürlich) damit, sich das notwendige Fachwissen anzueignen und eine DSFA durchzuführen.

Da fast jedes Unternehmen mittlerweile eine Videoüberwachung installiert hat, werden Sie nicht umhin kommen sich mit diesem Thema zu beschäftigen, es sei denn die Videoüberwachung dient ausschließlich der Überwachung nicht öffentlich zugänglicher Bereiche.

Das wird in der Breite der Unternehmen der am häufigsten vorkommende Fall sein.

# Kapitel 8 – Schulung der Mitarbeiter

Alle Mitarbeiter die mit personenbezogenen Daten arbeiten müssen einmal im Jahr in Bezug auf den Datenschutz geschult werden. Es gibt mittlerweile viele Anbieter, die Schulungen für Mitarbeiter anbieten.

Die Entscheidung, ob Sie externe Schulungsangebote in Anspruch nehmen oder selbst Schulungsunterlagen entwickeln und die Mitarbeiter schulen, hängt von den zeitlichen Kapazitäten ab, die Sie für die Erstellung von Schulungsunterlagen aufwenden können.

Für ein KMU ist es möglicherweise die preisgünstigere Alternative bei der Schulung von Mitarbeiters auf externe Anbieter zurück zu greifen.

---

**Tipp: Prüfen Sie Angebote von Schulungsanbietern und nehmen Sie hierzu externe Hilfe in Anspruch.**

---

Seitens des BvD e.V. wurde ein Schulungskonzept erstellt. Grundgedanke dieses Schulungskonzeptes ist, dass nicht alle Mitarbeiter eines Unternehmens mit derselben Intensität und derselben Tiefe in Hinblick auf die DS-GVO geschult werden müssen.

Hierfür hat der BvD e.V. in einer detaillierten Aufstellung dargelegt, welche Funktionen eines Unternehmens über welche Artikel der DS-GVO mindestens geschult werden müssen.

Das Schulungskonzept und die Veröffentlichung des BvD e.V. sind über den BvD beziehbar, da dort die Rechte für die Veröffentlichung liegen.

# Kapitel 9 – Aufsichtsbehörden oder Abmahnindustrie – Wer stellt für KMU das größere Problem da?

Die Frage, wer für KMU das größere Problem darstellt klingt merkwürdig. Warum ich die Meinung vertrete, dass die Abmahnindustrie die wesentlich größere Bedrohung darstellt, werde ich in diesem Kapitel ein wenig beleuchten. Möglicherweise nehme ich Ihnen damit ein wenig die Ängste vor der Aufsicht. Allerdings müssen Sie dafür an einer anderen Stelle umso mehr Vorsicht walten lassen.

### Kapitel 9.1 – Einige Gedanken zur Arbeitsweise der Aufsichtsbehörde

Auf der nachfolgenden Seite zeige ich Ihnen ein Schaubild, dass ich auf der Grundlage diverser Gespräche und Informationen erstellt haben.

Grundlage ist, dass die Aufsichtsbehörden für den Datenschutz in allen Bundesländern nicht besonders stark besetzt sind. Die Personaldecke ist in Hinblick auf das gesamte Aufgabenspektrum der Aufsichtsbehörde als viel zu klein zu bewerten. Die Erwartungshaltung ist, dass sich daran in den nächsten Jahren nur geringfügig etwas ändern wird.

Selbst wenn die Personalstärke der Aufsichtsbehörden nachhaltig erhöht wird, würde das nachfolgende Schaubild in der Grundstruktur erhalten bleiben. Die Aufsichtsbehörden müssen mit den vorhandenen Ressourcen haushalten. Dies hat zur Folge, dass Sie alle von außen eingehenden Informationen, Meldungen, Beschwerden, Hinweisen gewichten und bewerten müssen.

Hierbei ist davon auszugehen, dass folgende Prioritäten in der Regel vergeben werden:

| | |
|---|---|
| Priorität A (immer bearbeitet) | Selbstanzeigen Datenverlust |
| Priorität B (immer bearbeitet) | Eingaben von anderen Behörden, DSFA |
| Priorität C (Wertung nach Inhalt) | Eingaben von Beschäftigten, Presse |
| Priorität D (nur Stichproben) | allgemeine Beschwerden |

## Prioritäten aus Sicht der Aufsichtsbehörden bei der Fallbearbeitung

Die Aufsicht wird <u>nicht</u> pro-aktiv tätig, sondern reagiert auf äußere Veranlassungen

| Selbstanzeigen Datenverlust | Eingaben von anderen Behörden oder DSFA | Eingaben von Mitarbeitern Presse-Info | Eingaben von Kunden Verbände sonstige Dritte |
|---|---|---|---|

A = immer zu bearbeiten

B = immer zu bearbeiten

C = Wertung nach Inhalt, Bedeutung, Ausmaß, Detaillierungsgrad der Eingabe

D = Stichprobenauswahl, Bedeutung, Beschwerdehäufung zu Verantwortlichen Stellen

C und D = Hinweise auf Datenverluste werden in der Regel immer bearbeitet

Große Anzahl externe Meldungen bei beschränkten Ressourcen erfordern ein strukturiertes Vorgehen der Aufsicht

Daraus kann abgeleitet werden, dass die Beschwerde einer betroffenen Person über Ihr Unternehmen sehr große Aussicht darauf hat, im Stapel „D" zu landen und von dort, ohne weitere Bearbeitung, in die Altablage kommt.

Beschwerden von Mitarbeitern sind in der Regel sehr viel Detailreicher. Insbesondere verärgerte Mitarbeiter haben die Angewohnheit über einen längeren Zeitraum alles an belastbaren Unterlagen zu sammeln, was sie finden können.

Somit sind Beschwerden von Mitarbeitern meistens sehr viel aussagekräftiger, wie allgemeine Beschwerden von betroffenen Personen.

Taucht ihr Unternehmen in der Presse auf, könnte dies ebenfalls die Aufmerksamkeit der Aufsichtsbehörde erregen. Was garantiert zu einer Nachfrage führen wird, ist die Meldung einer anderen Behörde an die Aufsicht. Beispielsweise wenn die Steuerbehörde bei einer Außenprüfung auf massive Verstöße gegen Datenschutzrecht stößt. Diese Informationen werden in der Regel gut fundiert sein.

Das schlimmste ist, ich bleibe dabei, die Selbstanzeige eines Datenverlustes.

---

**Tipp: Wenn Sie die volle Aufmerksamkeit und Zuwendung „ihrer" Aufsichtsbehörde für den Datenschutz erlangen möchten, dann melden Sie einen ordentlichen Datenverlust. Gehen Sie davon aus, dass die Aufsicht ganz viel Zeit für Sie haben wird.**

## Kapitel 9.2 – Einige Gedanken zur Abmahnindustrie

Laut dem Datenportal www.statista.com gab es im Jahr 2017 insgesamt 164.393 Anwälte in Deutschland. Alle diese Anwälte suchen nach Einkommen und Aufgaben.

Viele dieser Anwälte machen eine seriöse Arbeit. Auch viele Anwälte die Abmahnungen schreiben tun dies, um ihre jeweiligen Mandanten vor wirtschaftlichen Schaden zu schützen.

Die Erwartungshaltung ist jedoch, dass in den nächsten Jahren immer mehr Anwälte die Abmahnung wegen Verstöße gegen die DS-GVO als lukratives Geschäftsfeld entdecken werden.

Wenn man dann die geringe Anzahl der Mitarbeiter der Aufsichtsbehörden für den Datenschutz (Schätzung von rund 500 - 600 Mitarbeitern deutschlandweit) der gewaltigen Anzahl der Anwälte (164.393) gegenüber stellt ist eindeutig klar, wo das wesentlich größere Risiko für KMU liegt: Bei den Abmahnanwälten.

---

**Tipp: Machen Sie ihr Unternehmen so abmahnsicher wie möglich.**

---

# Zum Schluss

D as waren viele Informationen und Empfehlungen durch die Sie sich hindurchgearbeitet haben. Möglicherweise sind Sie nun komplett desillusioniert, weil Sie dachten, ich habe einen Weg gefunden die DS-GVO umzusetzen, ohne dass große Arbeit zu tun wäre.

Diese Illusion habe ich Ihnen nun erfolgreich genommen. Die Umsetzung der DS-GVO, auch mit meinem pragmatischen Ansatz, macht viel Arbeit. Machen Sie diese Arbeit allerdings nicht, dann haben Sie ein dauerhaftes Bußgeld- und Haftungsrisiko sowie das permanente und teure Problem der Anfälligkeit für Angriffe durch die Abmahnindustrie.

**Abschließend empfehle ich Ihnen folgende Herangehensweise:**

Schritt 1     Bestandsaufnahme ihres Unternehmens in Bezug auf Datenschutz

Schritt 2     Erstellung des Handbuchs Datenschutzmanagement-System

Schritt 3     Machen Sie Ihren Außenauftritt abmahnsicher

- Allgemeine Geschäftsbedingungen
- Datenschutzerklärung
- externe Formulare (z.B. Abonnement-Kunden)
- Webseiten Impressum
- datenschutzrechtlich sauberes Online-Tracking
- Informationsblätter für betroffene Personen
- Bearbeitung und Beantwortung aller eingehenden Beschwerden und Anfragen zum Datenschutz innerhalb von 24 Stunden, spätestens am nächsten Werktag. Schnelligkeit ist ein unschlagbares Qualitätsmerkmal.

Schritt 4     Stellen Sie sicher, dass ihr Unternehmen keinen meldepflichtigen Datenverlust hat (IT-Sicherheit, Regelungen zu E-Mails)

Schritt 5     Erstellung der notwendigen Dokumentationen (z.B. Verfahrensbeschreibung, Verzeichnis der Verarbeitungstätigkeiten)

Schritt 6     Datenschutz ist ein fortlaufender Prozess. Bleiben Sie am Ball.

Eine letzte Empfehlung: Machen Sie sich auf den Weg. Sie werden merken, dass die Einhaltung der DS-GVO am Ende nicht nur Kosten verursacht, sondern auch sehr viel für Ihr Unternehmen bringt.

Und denken Sie immer daran: Rom wurde auch nicht an einem Tag erbaut. Das Wissen auch die Aufsichtsbehörden für den Datenschutz.

In diesem Sinne

Viele Grüße Ihr/Euer

## Gisbert Schulte

CIA[3], CRMA[4], Immobilienökonom (VWA), Bürokaufmann (IHK) und seit fast 20 Jahren Datenschützer aus Passion

---

[3] Zertifikat des IIA - The Institute of Internal Auditors, Florida, USA
[4] Zertifikat des IIA - The Institute of Internal Auditors, Florida, USA

## Anlage 1 – Fragebogen BayLDA zur DS-GVO [5]

**Fragebogen zur Umsetzung der DS-GVO zum 25. Mai 2018**

### I. Struktur und Verantwortlichkeit im Unternehmen

- Gibt es das Bewusstsein im Unternehmen, dass Datenschutz Chefsache ist, beispielsweise durch
- Vorhandensein einer Datenschutzleitlinie
- Beschreibung der Datenschutzziele
- Regelung der Verantwortlichkeiten
- Bewusstsein über Datenschutzrisiken
- Transparenz über Zielkonflikte (z.B. zwischen Marketing- und Rechtsabteilung)
- Verfügt Ihr Unternehmen über einen betrieblichen Datenschutzbeauftragten? Wenn nein, warum nicht?
  Wenn ja, ist geklärt, wann er von wem einzubeziehen ist?
  Wenn ja, ist er schon gem. Art. 37 Abs. 8 DS-GVO der zuständigen Aufsichtsbehörde gemeldet?

### II. Übersicht über Verarbeitungen

- Haben Sie ein Verzeichnis Ihrer Verarbeitungstätigkeiten gem. Art. 30 DS-GVO? ⬜ Wenn nein, warum nicht? Ist das dokumentiert?
- Wie haben Sie sichergestellt, dass datenschutzrechtliche Belange bei Beginn oder Änderung eines jeden Prozesses in Ihrem Unternehmen Berücksichtigung finden (Privacy by Design –Art. 25 DS-GVO)?

---

[5] Quelle: https://www.lda.bayern.de/de/index.html#

## III. Einbindung Externer

- Haben Sie Externe zur Erledigung Ihrer Arbeiten (Auftragsverarbeiter) eingebunden?

  Wenn ja, haben Sie eine Übersicht über die Auftragsverarbeiter?

  Wenn ja, haben Sie mit allen Ihren Auftragsverarbeitern die erforderlichen Vereinbarungen mit dem Mindestinhalt nach Art. 28 Abs. 3 DS-GVO abgeschlossen?

## IV. Transparenz, Informationspflichten und Sicherstellung der Betroffenenrechte

- Haben Sie Ihre Texte zur datenschutzrechtlichen Information der betroffen Personen bei der Datenerhebung an die Anforderungen nach Art. 13 bzw. 14 DS-GVO angepasst?

  Wenn nein, warum nicht?

- Haben Sie insbes. folgende Informationen neu aufgenommen, sofern nicht bereits vorher enthalten: ▢ Kontaktdaten des Datenschutzbeauftragten

- Rechtsgrundlage(n) für die Verarbeitung personenbezogener Daten

- Falls Sie die Verarbeitung mit ihren berechtigten Interessen oder berechtigten Interessen eines Dritten begründen: die berechtigten Interessen

- Falls Sie Daten in Drittländer übermitteln: die von Ihnen zum Einsatz gebrachten geeigneten Garantien zum Schutz der Daten (z.B. Standarddatenschutzklauseln)

- Dauer der Speicherung; sofern nicht möglich, die Kriterien für die Festlegung dieser Dauer

- Bestehen der Rechte betroffener Personen auf Auskunft, Berichtigung, Löschung, Einschränkung der Verarbeitung, auf Widerspruch aufgrund besonderer Situation einer betroffenen Person sowie auf Daten Portabilität

- Sofern Verarbeitung auf Einwilligung beruht: das Recht zum jederzeitigen Widerruf der Einwilligung

- Recht auf Beschwerde bei der Aufsichtsbehörde

- Ob die Bereitstellung der Daten gesetzlich oder vertraglich vorgeschrieben oder für einen Vertragsabschluss erforderlich ist

- Sofern einschlägig: die Vornahme einer automatisierten Entscheidungsfindung einschließlich Profiling sowie – in diesem Fall – Informationen über die involvierte Logik sowie die Tragweite und die angestrebten Auswirkungen der Verarbeitung für die betroffene Person

- Sofern Sie die Daten nicht bei der betroffenen Person erhoben haben: aus welcher Quelle die personenbezogenen Daten stammen und ggf. ob sie aus öffentlich zugänglichen Quellen stammen

- Haben Sie Ihre Werbe-Einwilligungserklärungen für Kunden, Interessenten usw., an die Anforderungen von Art. 7 und 13 DS-GVO angepasst (insbesondere: erweiterte Informationspflichten, auch zur jederzeitigen Widerrufbarkeit der Einwilligung)?
- Haben Sie ein Verfahren eingerichtet, um Anträge von betroffenen Personen auf Auskunft zu den eigenen Daten nach Art. 15 DS-GVO zeitnah und vollständig erfüllen zu können (Art. 12 Abs. 1 DS-GVO)?
- Haben Sie Verfahren eingerichtet, um Anträge auf Datenübertragbarkeit betroffener Personen erfüllen zu können (Art. 20 DS-GVO)?

## V. Verantwortlichkeit, Umgang mit Risiken

- Gibt es für jede Verarbeitungstätigkeit Angaben, mit der Sie die Rechtmäßigkeit Ihrer Verarbeitung nachweisen können, z.B. bezüglich Zwecken, Kategorien personenbezogener Daten, Empfängern und/oder Löschfristen (Art. 5 Abs. 2 DS-GVO)?
- Haben Sie geprüft, ob die Einwilligungen, auf die Sie eine Verarbeitung stützen, noch den Voraussetzungen der Art. 7 und/oder 8 DS-GVO entsprechen?
- Können Sie das Vorliegen der Einwilligung nachweisen?
- Haben Sie ein Datenschutzmanagementsystem installiert, um sicherzustellen und den Nachweis erbringen zu können, dass Ihre Verarbeitung gemäß der DS-GVO erfolgt (Art 24 Abs. 1 DS-GVO)?
- Haben Sie Ihre bestehenden Prozesse zur Überprüfung der Sicherheit der Verarbeitung auf die neuen Anforderungen des Art. 32 DS-GVO angepasst?
- Haben Sie insbesondere bestehende Checklisten zur Auswahl von technischen und organisatorischen Maßnahmen durch eine risikoorientierte Betrachtungsweise auf Basis von Art, des Umfangs, der Umstände und der Zwecke der Verarbeitung sowie der unterschiedlichen Eintrittswahrscheinlichkeit und Schwere der Risiken für die Rechte und Freiheiten ersetzt?
- Wurde ein geeignetes Managementsystem zur regelmäßigen Überprüfung, Bewertung und Verbesserung der Security-Maßnahmen umgesetzt?
- Wurden Schutzmaßnahmen wie Pseudonymisierung und der Einsatz von kryptographischen Verfahren zum Schutz vor unbefugten oder unrechtmäßigen Verarbeitungen sowohl bezüglich externer als auch interner „Angreifer" umgesetzt?
- Haben Sie sich auf die evtl. Notwendigkeit der Durchführung einer Datenschutz-Folgenabschätzung vorbereitet?
- Haben Sie eine geeignete Methode zur Bestimmung der Frage, ob eine Datenschutz-Folgenabschätzung durchzuführen ist, in Ihrem Unternehmen eingeführt?

- Haben Sie eine geeignete Risikomethode zur Durchführung einer Datenschutz-Folgenabschätzung in Ihrem Unternehmen eingeführt? Haben Sie sich für einen Prozess der Datenschutz-Folgenabschätzung entschieden; haben Sie diesen schon einmal getestet?

## VI. Datenschutzverletzungen

- Haben Sie gem. Art. 33 DS-GVO sichergestellt, dass die Meldung von Verletzungen des Schutzes personenbezogener Daten innerhalb von 72 Stunden an die Aufsichtsbehörde möglich ist?
- Haben Sie insbesondere sichergestellt, dass Datenschutzverletzungen in Ihrem Unternehmen erkannt werden können. Haben Sie dazu eine geeignete Methode zur Ermittlung eines Risikos bzw. eines hohen Risikos in Ihrem Unternehmen eingeführt?
- Haben Sie einen Prozess aufgesetzt, wie mit potentiellen Verletzungen intern umzugehen ist ⬚ Haben Sie festgelegt, wer, wann und wie mit der Datenschutzaufsichtsbehörde kommuniziert?

**Anlage 2 – Muster Informationsblatt Videoüberwachung**

Dies stellt ein Muster da, dass durch den Verwender auf die jeweilige Situation des Betriebes und der tatsächlich eingesetzten Videoüberwachung angepasst werden muss. Dieses Informationsblatt muss im Bereich der Videoüberwachung ausgehangen werden. Daneben empfehle ich eine Veröffentlichung auf der Webseite des Unternehmens unter der Rubrik „Datenschutz".

**Informationsblatt nach Artikel 13 Datenschutzgrundverordnung (DSGVO)**

**Videoüberwachungsanlagen**

**Firma der verantwortlichen Stelle, Anschrift, Vorstände und weitere Angaben**

*[Firma, Anschrift, Telefonnummer der Verantwortlichen Stelle einfügen}*

Vorstand/Geschäftsführung:

*[Namen des Vorstandes oder der Geschäftsführung angeben]*

Kontaktdaten des Datenschutzbeauftragten:

*[Kontaktdaten Angaben, der Name ist nicht notwendig!]*

**Zweck des Einsatzes von Videoüberwachungsanlagen**

- o   Betriebsablaufsteuerung

o Überwachung des nicht-öffentlich zugänglichen Bereichs von Betriebsanlagen

o Erhöhung der tatsächlichen Sicherheit der Kunden sowie der Mitarbeiter

o Erhöhung des Sicherheitsempfindens der Kunde sowie der Mitarbeiter

o Eindämmung von Vandalismusschäden

o Abschreckung von gewaltbereiten Personen

o Verbesserte Strafverfolgung bei Vandalismus, Körperverletzung, sexueller Belästigung, Eigentumsdelikten oder anderer strafrechtlich relevanter Delikte

o Klärung von etwaigen Kundenansprüche und andere zivilrechtliche Ansprüchen

o Zutrittskontrollen zu betrieblichen Bereichen

o Außenhautsicherung von betrieblichen Bereichen gegen unbefugten Zutritt

o Speicherung sicherheitsrelevanter Betriebsereignisse

Die berechtigten Interessen der speichernden Stelle nach Artikel 6 Absatz 1 Buchstabe f Datenschutzgrundverordnung sind im Wesentlichen mit den vorstehend aufgeführten Zwecken identisch.

Gesetzliche Grundlage: § 4 BDSG (neu) „Videoüberwachung öffentlich zugänglicher Räume" (§6b BDSG alt), Artikel 6 Absatz 1 Buchstabe f Datenschutzgrundverordnung (DSGVO)

**Empfänger, denen die Daten mitgeteilt werden können**

Innerhalb des Unternehmens erhalten die Stellen Zugriff auf die personenbezogenen Daten, die diese zur Erfüllung der oben genannten Zwecke benötigen. Aufzeichnungen werden nur auf Anforderung von Polizeibehörden, Staatsanwaltschaft, gerichtlicher Anordnung, bei Anforderung als Beweismittel im Rahmen von gerichtlichen Prozessen oder bei außergerichtlicher Anforderung durch Rechtsanwälte herausgegeben.

**Betroffene Personen**

Kunden, Mitarbeiter der verantwortlichen Stelle, Mitarbeiter von Auftragnehmern, sonstige Personen die sich im Bereich der Videoüberwachung aufhalten

**Speicherdauer**

*[Genaue Angabe der Speicherdauer]*

Die Aufzeichnungen werden automatisch überschrieben. Bei einem Vorfall kann eine separate Speicherung der Videoaufzeichnung erfolgen. Sofern Videoaufzeichnungen als Beweismittel für die straf- und/oder zivilrechtliche Verfolgung gespeichert werden, erfolgt die Löschung entsprechend der Verjährungsvorschriften.

**Betroffenenrechte**

Recht auf Auskunft: Auskunftsersuchen sind an die unter Nr. 1. aufgeführte Anschrift zu richten.

Recht auf Berichtigung: Dieses Recht ist dahingehend eingeschränkt, dass die Videoaufzeichnungen technisch nicht verändert werden können.

Recht auf Löschung: Das Recht auf Löschung wird, sofern keine zweckgebundene Speicherung erfolgt, durch das automatische Überschreiben der Daten umgesetzt.

Recht auf Einschränkung der Verarbeitung: Dieses Recht wird aufgrund der automatisierten Datenlöschung durch Überschreiben und der Zweckbindung bei einer Speicherung berücksichtigt.

Recht auf Datenübertragbarkeit: Dieses Recht ist technisch eingeschränkt, da die Daten verschlüsselt gespeichert werden und nur mit einer speziellen Software entschlüsselt werden können, zudem kann eine Übertragung möglicherweise die Rechte Dritter beeinträchtigen.

Recht auf Widerspruch: Dieses Recht wird aufgrund der automatisierten Datenlöschung durch Überschreiben und der Zweckbindung bei einer Speicherung berücksichtigt.

Beschwerderecht: Beschwerden können jederzeit an den betrieblichen Datenschutzbeauftragten adressiert werden (Kontaktdaten siehe Punkt 1). Daneben besteht die Möglichkeit einer Beschwerde bei der Aufsichtsbehörde für den Datenschutz.

## Anlage 3 – Muster Informationsblatt Fotografien

Dies stellt ein Muster da, dass durch den Verwender auf die jeweilige Situation des Betriebes angepasst werden muss. Dieses Informationsblatt muss im ausgehangen werden, wenn Fotografien angefertigt werden sollen. Daneben empfehle ich eine Veröffentlichung auf der Webseite des Unternehmens unter der Rubrik „Datenschutz".

**Informationsblatt nach Artikel 13 Datenschutzgrundverordnung (DSGVO)**

**Fotografien**

**Firma der verantwortlichen Stelle, Anschrift, Vorstände und weitere Angaben**

[Firma, Anschrift, Telefonnummer der Verantwortlichen Stelle einfügen}

**Vorstand/Geschäftsführung:**

[Namen des Vorstandes oder der Geschäftsführung angeben]

**Kontaktdaten des Datenschutzbeauftragten:**

[Kontaktdaten Angaben, der Name ist nicht notwendig!]

## Zweck der Anfertigung von Fotos

- o Erstellung von Fotoaufnahmen zum Zwecke der Vervielfältigung, Digitalisierung, öffentliche Zugänglichmachung, öffentliche Wiedergabe und Verbreitung der Fotografien

- o Öffentlichkeitsarbeit (z.B. Presseinformation, Werbung, öffentliche Darstellung des Unternehmens)

- o Fotos im Beschäftigtenverhältnis (z.B. Anfertigung von Dienstausweisen zur Zutrittskontrollen und zum Ausweis gegenüber Kunden)

- o Interne Kommunikation (z.B. Vorstellung der Auszubildenden, Vorstellung von Projektteams, Verbesserung der internen Zusammenarbeit)

Die berechtigten Interessen der speichernden Stelle nach Artikel 6 Absatz 1 Buchstabe f Datenschutzgrundverordnung sind im Wesentlichen mit den vorstehend aufgeführten Zwecken identisch.

## Empfänger, denen die Daten mitgeteilt werden können

Sofern Fotos veröffentlicht werden, sind diese der Allgemeinheit zugänglich und werden weltweit veröffentlicht. Durch die weltweite Veröffentlichung kann eine Übertragung von Fotos in Drittländern erfolgen. Fotos zu internen Zwecken können von allen Beschäftigten eingesehen werden.

## Betroffene Personen

alle Personen die im Rahmen der Erstellung von Fotografien fotografiert wurden

**Speicherdauer**

Aufgrund der weltweiten Verfügbarkeit ist die Speicherdauer von Fotos nicht begrenzbar.

Die Speicherdauer der Fotografien für interne Zwecke ist abhängig von dem jeweiligen Zweck. Fotos für Dienstausweise werden entsprechend der Regelungen für Personalakten gespeichert.


**Betroffenenrechte**

Recht auf Auskunft: Auskunftsersuchen sind an die unter Nr. 1. aufgeführte Anschrift zu richten.

Recht auf Berichtigung: Es besteht das Recht auf Berichtigung der erhobenen Daten. Bei Fotografien ist dies dahingehend eingeschränkt, dass kein Anspruch auf eine nachträgliche technische Bearbeitung der Fotografie besteht.

Recht auf Löschung: Es besteht das Recht auf Löschung der Daten. Dieses Recht wird dahingehend eingeschränkt, dass veröffentlichte Fotos weltweit gespeichert werden können und somit eine Löschung durch die Verantwortliche Stelle rechtlich und technisch nicht möglich ist. Eine Löschung kann lediglich innerhalb der Systeme der Verantwortlichen Stelle erfolgen.

Recht auf Einschränkung der Verarbeitung: Das Recht auf Einschränkung der Verarbeitung wird dahingehend eingeschränkt, dass veröffentlichte Fotos weltweit gespeichert werden können und somit eine Einschränkung der Verarbeitung durch die Verantwortliche Stelle weder rechtlich noch technisch möglich ist. Eine Einschränkung der Verarbeitung kann lediglich innerhalb der Systeme der Verantwortlichen Stelle erfolgen.

Recht auf Datenübertragbarkeit: Es besteht das Recht auf elektronische Übertragung der erhobenen Daten an die betroffene Person.

Recht auf Widerspruch: Es besteht das Recht auf Widerspruch gegen die Verwendung der erhobenen Daten. Dieses Recht wird dahingehend eingeschränkt, dass veröffentlichte Fotos weltweit gespeichert werden können und somit eine Löschung durch die Verantwortliche Stelle rechtlich und technisch nicht möglich ist.

Beschwerderecht: Beschwerden können jederzeit an den betrieblichen Datenschutzbeauftragten adressiert werden (Kontaktdaten siehe Punkt 1). Daneben besteht die Möglichkeit einer Beschwerde bei der Aufsichtsbehörde für den Datenschutz ([Behörde benennen]).

**Anlage 4 – Muster Verfahrensbeschreibung**

Was Ihnen sofort ins Auge springen wird ist, dass die Verfahrensbeschreibung ähnlich strukturiert ist, wie die externen Informationsblätter. Dies liegt daran, dass die Informationsblätter zum einen auf den Verfahrensbeschreibungen beruhen und zum anderen die Verfahrensbeschreibung so aufgebaut sind, dass diese jederzeit – auf Anforderung – der zuständigen Aufsichtsbehörde für den Datenschutz als Dokument vorgelegt werden können.

**Einleitung**

**Unternehmensleitbild zum Datenschutz**

Das Unternehmen gewährleistet die Sicherstellung von Privat- und Intimsphäre seiner Kunden, Mitarbeiter, Geschäftspartner und weiterer Personen. Hierzu wurden die datenschutzrechtlichen Vorgaben in ein Datenschutzkonzept eingearbeitet. In Zusammenarbeit zwischen Unternehmensleitung und Arbeitnehmervertretung ist hinzukommend eine Vielzahl von betrieblichen Vereinbarungen verabredet worden, die einen höchstmöglichen Grad der Sicherstellung der Datenschutzbestimmungen unserer Mitarbeiter und Kunden gewährleisten.

**Firma der verantwortlichen Stelle, Anschrift, Vorstände und weitere Angaben**

*[Firma, Anschrift, Telefonnummer der Verantwortlichen Stelle einfügen}*

Vorstand/Geschäftsführung:

*[Namen des Vorstandes oder der Geschäftsführung angeben]*

<u>Kontaktdaten des Datenschutzbeauftragten:</u>

*[Kontaktdaten Angaben, der Name ist nicht notwendig!]*

## Zweckbestimmung der Datenerhebung, -verarbeitung und –nutzung

Zweck der Datenerhebung, -verarbeitung und –nutzung ist:

- o Erhebung von Daten zur Anbahnung einer Geschäftsbeziehung

- o Erhebung von Daten zum Abschluss und zur Durchführung einer Geschäftsbeziehung

- o Erhebung von Daten im Rahmen der laufenden Geschäftsbeziehung (z.B. Änderung von Kontaktdaten, Änderung von Bankdaten)

- o Durchführung einer Bonitätsprüfung bzw. Abfrage bei einer Auskunftei

- o Durchführung vergaberechtlicher Prüfungen

- o Erfüllung von Aufzeichnungspflichten (z.B. Steuer- und Abgabenrecht)

- o Erfüllung von Nachweispflichten

- o Erfüllung von Prüf- und Kontrollpflichten

- o Überprüfung der Einhaltung gesetzlicher Vorgaben bei Einsatz von Fremdunternehmern

**Beschreibung der betroffenen Personengruppen und Daten**

**<u>Personengruppe</u>**

- Auftragnehmer

- Lieferanten

- Mitarbeiter von Auftragnehmern und Lieferanten

- eigene Mitarbeiter

**<u>personenbezogene Daten</u>**

- Name, Vorname, Titel, Adresse

- Kontoverbindungen

- Angaben zum Vertragsverhältnis

- Rechnungsdaten

- Inhalte der Vertragsbeziehungen

- Inhalte des gesamten Schriftwechsels

- weitere Daten die im Rahmen der Geschäftsbeziehung ausgetauscht werden

- Verkaufs- und Abrechnungssysteme

- Sicherstellung der Kommunikation

- Arbeitszeitlisten, Fahrtenbücher, Bescheinigungen

**Empfänger, denen die Daten mitgeteilt werden können**

- o eigene Anwälte (z. B. zur Durchsetzung von Leistungsansprüchen) und Anwälte Dritter

- o Gerichte

- o Polizei (z.B. im Rahmen des Einsatzes im Fahrdienst)

- o Behörden (z.B. Steuerbehörden)

- o Gutachter (z.B. zur Leistungsfeststellung)

- o Versicherungen

- o sonstige Auskunftsberechtigte oder Vertragspartner

**Umfang der Speicherung**

Es werden sämtliche vorgenannten Daten zum dem unter 1.3 genannten Zweck gespeichert.

**Regelfristen für die Löschung der Daten**

**Steuer- und Handelsrecht**

Die elektronische Speicherung erfolgt über die betrieblich vorgesehene Dokumenten-Management-Software.

Aufgrund Handels- und steuerrechtlicher Aufbewahrungsvorschriften erfolgt eine Datenspeicherung für einen Zeitraum von 10 Jahren nach Ende des Geschäftsjahres, in welchem die Erhebung erfolgt ist.

## Geplante Datenübermittlung an Drittstaaten

Es ist keine Übermittlung von personenbezogenen Daten in Drittstatten geplant.


## Beschreibung des Verfahrens

### Einkauf

Im Rahmen des Einkaufs werden Daten von Auftragnehmern und Lieferanten erhoben. Hierbei handelt es sich regelmäßig um Geschäftsdaten.

Durch die Auftragnehmer und Lieferanten werden die Kontaktdaten von Mitarbeitern übermittelt. Diese werden ausschließlich im Rahmen des geschäftlichen Vertragsverhältnisses verwendet.


### Rechnungswesen

Durch das Rechnungswesen erfolgt die Bearbeitung der Kreditoren und Debitoren. Die hierbei verwendeten Daten werden direkt vom jeweiligen Vertragspartner erhoben.

Zur Kontaktaufnahme werden die geschäftlichen Kontaktdaten von Mitarbeitern der Kreditoren oder Debitoren gespeichert. Diese Daten werden ausschließlich im Rahmen des Vertragsverhältnisses verwendet.

Neben den Angaben zur Firma werden insbesondere Kontodaten und steuer- sowie handelsrechtlich relevante Daten verarbeitet.

Die Löschfristen orientieren sich an den steuer- und handelsrechtlichen Vorgaben.

## Anlage 5 – Muster Handbuch zum Datenschutzmanagement-System

### Einleitung

### Unternehmensleitbild zum Datenschutz

Das Unternehmen gewährleistet die Sicherstellung von Privat- und Intimsphäre seiner Kunden, Mitarbeiter, Geschäftspartner und weiterer Personen. Hierzu wurden die datenschutzrechtlichen Vorgaben in ein Datenschutzkonzept eingearbeitet. In Zusammenarbeit zwischen Unternehmensleitung und Arbeitnehmervertretung ist hinzukommend eine Vielzahl von betrieblichen Vereinbarungen verabredet worden, die einen höchstmöglichen Grad der Sicherstellung der Datenschutzbestimmungen unserer Mitarbeiter und Kunden gewährleisten.

### Wirkung dieses Handbuchs

Zur Umsetzung der gesetzlichen Vorgaben der Datenschutzgrundverordnung, des Datenschutz-Anpassungs- und Umsetzungsgesetz-EU (DSAnpUG-EU) und der Anforderungen der Aufsichtsbehörden für den Datenschutz sind interne Regelungen, Dokumentationen, Kontrollen und Meldewege notwendig.

Dieses Handbuch stellt den Rahmen des Datenschutzmanagement-Systems dar und beschreibt wesentliche Bestandteile dieses Managementsystems. Auf eine Einzeldarstellung von Inhalten wird verzichtet, da diese in den verschiedenen Dokumenten des Datenschutzmanagement-Systems geregelt werden.

## Bußgeldrahmen

Der Bußgeldrahmen für Verstöße gegen die gesetzlichen Regelungen der Daten-schutzgrundverordnung liegt ab dem 25. Mai 2018 bei 10 bis 20 Millionen Euro oder 2 bis 4 Prozent des weltweiten Vorjahresumsatzes. Bei der Verhängung eines Bußgeldes wird der jeweils höhere Bußgeldrahmen gewählt. Nach der Intention des Gesetzgebers ist dies kein symbolisch gemeinter Bußgeldrahmen. Verhängte Bußgelder sollen eine nachhaltig erzieherische und abschreckende Wirkung ent-falten.

Ein Bußgeld in der vorgenannten Höhe würde die Existenz des Unternehmens in Frage stellen und könnte zu einer Abwicklung des Unternehmens führen. Insofern haben Führungskräfte und Mitarbeiter alles in ihrer Kraft stehende zu unterneh-men, um durch die Einhaltung der gesetzlichen Regelungen die Verhängung eines Bußgeldes zu verhindern.


## Organisation


## Definition der Verantwortlichkeiten in Bezug auf Datenschutz


## Führungskräfte

Jede Führungskraft ist in ihrer Organisationseinheit für die Einhaltung der gesetz-lichen Vorgaben und für die Umsetzung der internen Regelungen vollumfänglich verantwortlich. Es besteht eine Pflicht zur regelmäßigen Information über aktuelle gesetzliche Änderungen in Bezug auf datenschutzrechtliche Regelungen.

Hierzu werden den Führungskräften auf dem zentralen Sonderlaufwerk die notwendigen Informationen durch den Datenschutzbeauftragten zur Verfügung gestellt. Bei wesentlichen gesetzlichen Änderungen oder Gerichtsurteile mit weitreichender Bedeutung, die eine erhebliche Auswirkung auf die Umsetzung des Datenschutzes haben könnten, erfolgt eine Information durch den Datenschutzbeauftragten. Bei Rückfragen und zur Beratung bei der Umsetzung steht der Datenschutzbeauftragte den Führungskräften als Ansprechpartner zur Verfügung.

Die Führungskräfte haben ihre Mitarbeiter, unabhängig von zentral organisierten Schulungsmaßnahmen, in Bezug auf die Einhaltung der datenschutzrechtlichen Vorgaben zu sensibilisieren und zu informieren.

Die Führungskräfte legen in ihrem Verantwortungsbereich die Regelungen zur Verarbeitung von personenbezogenen Daten fest. Diese Festlegungen sind schriftlich zu dokumentieren. Der Datenschutzbeauftragte ist hierüber zu informieren.

Die Führungskräfte teilen dem Datenschutzbeauftragten zeitnah alle notwendigen Informationen über die Änderung bestehender Verarbeitungstätigkeiten oder neue Verarbeitungstätigkeiten mit. Daneben bestehen weitere Informationspflichten gegenüber dem Datenschutzbeauftragten die im weiteren Verlauf dieses Dokuments erläutert werden.

Die festgelegten Melde- und Informationspflichten und die definierten Meldewege sind immer zu beachten.

## Mitarbeiter

Jeder Mitarbeiter ist in dem ihm übertragenem Aufgabengebiet für die Einhaltung der gesetzlichen Vorgaben und für die Umsetzung der internen Regelungen vollumfänglich verantwortlich.

Die Verarbeitung personenbezogener Daten darf ausschließlich entsprechend den gesetzlichen Vorgaben und den internen Regelungen erfolgen.

Bei Zweifelsfragen zu Verarbeitungstätigkeiten in Bezug auf personenbezogene Daten ist die Führungskraft zu kontaktieren.

Die festgelegten Melde- und Informationspflichten und die definierten Meldewege sind immer zu beachten.

### Aufgaben des Datenschutzbeauftragten

Die Aufgaben des Datenschutzbeauftragten sind in Artikel 39 DSGVO definiert und werden an dieser Stelle wiedergegeben:

- Unterrichtung und Beratung des Verantwortlichen oder des Auftragsverarbeiters und der Beschäftigten, die Verarbeitungen durchführen, hinsichtlich ihrer Pflichten nach dieser Verordnung sowie nach sonstigen Datenschutzvorschriften der Union bzw. der Mitgliedstaaten.

- Überwachung der Einhaltung dieser Verordnung, anderer Datenschutzvorschriften der Union bzw. der Mitgliedstaaten sowie der Strategien des Verantwortlichen oder des Auftragsverarbeiters für den Schutz personenbezogener Daten.

Einschließlich der Überwachung der Zuweisung von Zuständigkeiten, der Überwachung der Sensibilisierung und Schulung der an den Verarbeitungsvorgängen beteiligten Mitarbeiter und der diesbezüglichen Überprüfungen.

o Beratung – auf Anfrage – im Zusammenhang mit der Datenschutz-Folgenabschätzung und Überwachung ihrer Durchführung gemäß Artikel 35 DSGVO.

o Zusammenarbeit mit der Aufsichtsbehörde

o Tätigkeit als Anlaufstelle für die Aufsichtsbehörde in mit der Verarbeitung zusammenhängenden Fragen, einschließlich der vorherigen Konsultation gemäß Artikel 36 DSGVO, und gegebenenfalls Beratung zu allen sonstigen Fragen.

Zusätzlich zu diesen gesetzlichen Pflichten übernimmt der Datenschutzbeauftragte die folgenden Aufgaben:

o Führung des tabellarischen Verzeichnisses der Verarbeitungstätigkeiten, des Verzeichnisses der Datenschutz-Folgenabschätzungen und des Verzeichnisses der ADV-Verträge entsprechend den von den Führungskräften mitgeteilten Verarbeitungen und zur Verfügung gestellten Unterlagen.

o Unterstützung der verantwortlichen Führungskräfte bei der Schulung von Mitarbeitern sowie die Bereitstellung von Schulungsunterlagen

o   Bereitstellung der notwendigen Informationen für Führungskräfte und Mitarbeiter auf dem zentralen Sonderlaufwerk

**Festlegung der internen Dokumente**

**Verzeichnis von Verarbeitungstätigkeiten (Artikel 30 DSGVO)**

Jeder Verantwortliche und gegebenenfalls sein Vertreter führen ein Verzeichnis aller Verarbeitungstätigkeiten, die ihrer Zuständigkeit unterliegen. Dieses Verzeichnis enthält sämtliche folgenden Angaben:

o   den Namen und die Kontaktdaten des Verantwortlichen und gegebenenfalls des gemeinsam mit ihm Verantwortlichen, des Vertreters des Verantwortlichen sowie eines etwaigen Datenschutzbeauftragten;

o   die Zwecke der Verarbeitung;

o   eine Beschreibung der Kategorien betroffener Personen und der Kategorien personenbezogener Daten;

o   die Kategorien von Empfängern, gegenüber denen die personenbezogenen Daten offengelegt worden sind oder noch offengelegt werden, einschließlich Empfänger in Drittländern oder internationalen Organisationen;

o   gegebenenfalls Übermittlungen von personenbezogenen Daten an ein Drittland oder an eine internationale Organisation, einschließlich der Angabe des betreffenden Drittlands oder der betreffenden internationalen Organisation, sowie bei den in Artikel 49 Absatz 1 Unterabsatz 2 genannten Datenübermittlungen die Dokumentierung geeigneter Garantien;

o wenn möglich, die vorgesehenen Fristen für die Löschung der verschiedenen Datenkategorien;

o wenn möglich, eine allgemeine Beschreibung der technischen und organisatorischen Maßnahmen gemäß Artikel 32 Absatz 1.

Das tabellarische Verzeichnis der Verarbeitungstätigkeiten wird durch den Datenschutzbeauftragten geführt. Die Führungskräfte teilen dem Datenschutzbeauftragten zeitnah alle notwendigen Informationen über die Änderung bestehender Verarbeitungstätigkeiten oder neue Verarbeitungstätigkeiten mit.

**Verträge zur Auftragsverarbeitung (Artikel 28 DSGVO)**

Gemäß Artikel 28 DSGVO müssen für alle Datenverarbeitungen im Auftrag (Auftragsverarbeitung) entsprechende Verträge abgeschlossen werden. Die Verantwortung für den Abschluss der Verträge liegt bei der jeweiligen Führungskraft.

Vor Abschluss von Verträgen zur Auftragsverarbeitung (AV-Vertrag) müssen diese immer mit der Rechtsabteilung und dem Datenschutzbeauftragten abgestimmt werden. Soweit möglich, ist der ADV-Mustervertrag als Grundlage zu verwenden.

Alle abgeschlossenen ADV-Verträge werden durch den Datenschutzbeauftragten in ein Verzeichnis aufgenommen. Die Archivierung der Verträge erfolgt durch die Rechtsabteilung.

## Datenschutz-Folgenabschätzungen (Artikel 35 DSGVO)

Entsprechend Artikel 35 DSGVO ist eine Datenschutz-Folgenabschätzung durchzuführen, wenn aufgrund der Art, des Umfangs, der Umstände und der Zwecke der Verarbeitung, diese voraussichtlich ein hohes Risiko für die Rechte und Freiheiten natürlicher Personen zur Folge hat.

Zur Erleichterung der Beurteilung, ob eine Datenschutz-Folgenabschätzung notwendig ist, steht eine Checkliste zur Verfügung. In allen Fällen ist die ausgefüllte Checkliste dem Datenschutzbeauftragten zuzuleiten.

Sofern eine Datenschutz-Folgenabschätzung notwendig ist, wird diese in enger Abstimmung zwischen dem verantwortlichen Fachbereich und dem Datenschutzbeauftragten erstellt.

Alle durchgeführten Datenschutz-Folgenabschätzungen werden durch den Datenschutzbeauftragten in ein Verzeichnis aufgenommen und archiviert.


## Betriebsvereinbarungen

Aufgrund des normativen Charakters stellen Betriebsvereinbarungen zwischen Arbeitgebern und Betriebsräten Rechtsvorschriften (Kollektivvereinbarungen) im Sinne der Datenschutzgrundverordnung dar (Artikel 9 und 88 DSGVO, Erwägungsgrund Nr. 155 DSGVO).

Somit gelten Betriebsvereinbarungen als Erlaubnisnorm im Sinne der Datenschutzgrundverordnung für die Erhebung, Verarbeitung und Nutzung personenbezogener Daten.

## IT-Sicherheitsrichtlinie

Zur Gewährleistung der IT-Sicherheit wurde durch die IT eine IT-Sicherheitsrichtlinie erarbeitet und vom Vorstand in Kraft gesetzt. Diese wird durch die IT gepflegt und entsprechend der Notwendigkeit aktualisiert.

## Verfahrensbeschreibungen

Zur Sicherstellung einheitlicher Verfahrensabläufe und Arbeitsschritte bei der Verarbeitung personenbezogener Daten werden Verfahrensbeschreibungen durch die Fachbereiche erstellt und mit dem Datenschutzbeauftragten abgestimmt.

## Ablaufpläne und weitere Dokumentation

Zur Dokumentation von Verfahrensabläufen stehen zudem Pläne und weitere Dokumente zur Verfügung. Diese werden die Organisationsentwicklung in Zusammenarbeit mit den betroffenen Bereichen erstellt. Sofern personenbezogene Daten von Verarbeitungsschritten betroffen sind, werden die abgestimmten Dokumente dem Datenschutzbeauftragten zur Verfügung gestellt.

## Formulare im Zusammenhang mit dem Datenschutz

Zur Vereinheitlichung der Bearbeitung und zur Sicherstellung des Meldeweges werden Formulare mit Bezug auf datenschutzrechtliche Themen erstellt und veröffentlicht.

## Funktionsbeschreibungen

In den Funktionsbeschreibungen sind die Tätigkeitsbereiche der Mitarbeiter festgelegt. Diese dienen als Basis für die Zuordnung von Zugriffsrechten auf personenbezogene Daten.

## IT-Zugriffsrechte auf personenbezogene Daten (u.a. Rollenkonzept)

In allen IT-Systemen erfolgt entsprechend der Funktion die Einrichtung von Zugriffsrechten auf personenbezogene Daten. Hierbei erhält jeder Mitarbeiter die Zugriffsrechte, die für die Erfüllung der jeweiligen Funktion notwendig sind. Weitergehende Zugriffsrechte auf personenbezogene Daten dürfen nicht eingerichtet werden.

## Festgelegte Meldepflichten

### Interne Meldepflicht des Verlustes personenbezogener Daten

Zur Umsetzung der Meldepflicht steht ein internes Formular zur Verfügung. Dieser Meldebogen dient der internen Meldung des Verlustes personenbezogener Daten und ist bei jedem möglicherweise eingetretenen Verlust von personenbezogenen Daten zu erstellen.

Es ist zu beachten, dass nach Artikel 33 Datenschutzgrundverordnung (DSGVO) innerhalb von 72 Stunden nach Feststellung des Datenverlustes eine Meldung an die Aufsichtsbehörde zu erfolgen hat, sofern der Verlust zu einem Risiko für die Rechte und Freiheiten einer natürlichen Person führt. Dies ist die Frist zur Abgabe bei der Behörde. Dies bedingt, dass Datenverluste intern umgehend zu melden sind.

Sofern kein Zugriff auf das Formular als Workflow möglich ist, muss eine Meldung per E-Mail an die IT erfolgen. Hierzu ist die Mail-Adresse Datenverlust@nnnnnne zu verwenden.

Aufgrund der negativen Auswirkungen eines Verlustes personenbezogener Daten auf das gesamte Unternehmen, erfolgen Meldungen an die Aufsichtsbehörde ausschließlich durch die hierzu benannten Verantwortlichen. Der vorstehend beschriebene Meldebogen dient der internen Meldung von Datenverlusten. Die Meldebögen werden nach Abschluss des Verfahrens, durch den Datenschutzbeauftragten archiviert.

**Definition Datenverlust**

Ein Datenverlust könnte vorliegen wenn,

- o personenbezogene Daten unberechtigten Dritten zur Kenntnis gelangt sein könnten, zum Beispiel durch

  - unbeabsichtigte Übermittlung personenbezogener Daten postalisch oder als E-Mail an einen unberechtigten Dritten (z.B. falsche E-Mail-Adresse)

  - Verlust eines dienstlichen Endgerätes wie Smartphone, Tablet, Notebook oder eines transportablen Speichermediums (z.B. USB-Stick) auf welchem personenbezogene Daten gespeichert waren

  - Verlust eines privaten Endgerätes, sofern darauf ein Fernzugriff auf dienstliche Dateien eingerichtet wurde (BYOD-Endgerät)

- unbefugter Fernzugriff auf die IT-Systeme (z.B. „Trojaner", „Würmer" etc.)

  o personenbezogene Daten den unmittelbaren Herrschaftsbereich des Unternehmens verlassen haben könnten, zum Beispiel aufgrund

    - einer Speicherung ohne Vorliegen einer Rechtsgrundlage oder einer ausdrücklichen Genehmigung auf dem privaten Endgerät eines Mitarbeiters

  o personenbezogene Daten ohne Vorlage einer Rechtsgrundlage Dritten zur Kenntnis gebracht wurden. Dies könnte zum Beispiel folgende Fälle betreffen:

    - Übermittlung von Kundendaten an einen Dritten zu Werbezwecken ohne Vorlage einer Einwilligungserklärung des Kunden

    - Weitergabe / Veröffentlichung einer Videosequenz ohne Vorlage einer Rechtsgrundlage

  o personenbezogene Daten entgegen bestehender Aufbewahrungsvorschriften unwiederbringlich gelöscht oder inhaltlich gefälscht oder in unberechtigter Art und Weise verändert wurden (Verlust der Verfügbarkeit oder der Integrität)

Die vorgenannte Aufzählung ist nicht abschließend. Sofern Zweifel darüber bestehen, ob ein Vorgang als Datenverlust im Sinne der DSGVO zu bewerten ist, sollte immer eine interne Meldung erfolgen.

Nach Eingang der internen Meldung erfolgt eine Bewertung der Gesamtumstände des möglichen Datenverlustes durch fachkundige Mitarbeiter. Die Bewertung und das Ergebnis der Bewertung sind vollständig zu dokumentieren.

Sofern die fachkundigen Mitarbeiter zu dem Ergebnis kommen, dass kein nach Artikel 33 DSGVO meldepflichtiger Datenverlust entstanden ist, sind die Unterlagen zur Archivierung an den Datenschutzbeauftragten weiterzuleiten.

Sofern die fachkundigen Mitarbeiter zu dem Ergebnis kommen, dass ein meldepflichtiger Verlust von personenbezogenen Daten vorliegt bzw. mit großer Wahrscheinlichkeit vorliegen könnte, muss der Vorgang zur Bewertung an die Interne Revision weitergeleitet werden.

**Externe Meldepflicht des Verlustes personenbezogener Daten**

Eine Meldung an die Aufsichtsbehörde ausschließlich durch die hierzu bestellte Person zu erfolgen. Vor der Abgabe einer Meldung an die Aufsichtsbehörde sind die folgenden Funktionen mittels E-Mail frühzeitig zu informieren:

- o Vorstand/Geschäftsführung
- o Geschäftsbereichsleiter Finanzen und Recht
- o Leiter Recht
- o Leiter Personal
- o Datenschutzbeauftragter

Travels in
# ARCTIC NORWAY

Guy Mansell

Travels in
# ARCTIC NORWAY

Aschehoug

© 1995 H. Aschehoug & Co. (W. Nygaard)

Satt med 13/16 pkt. Bembo i Bokverkstedet, Aschehoug

Grafisk formgiving: Nini Anker

Billedredaktør: Åsta Brenna

Trykt på Arctic Art 150g/m² fra Håfreströms AB, levert av A.D. Jacobsen A/S

Printed in Norway

a.s Joh. Nordahls Trykkeri, Oslo 1995

ISBN 82-03-22057-6

# CONTENTS

Summer in the Lofoten Islands.

# Another world begins at 66°, 33'North

Nature has never tallied with logic or mathematics. School lessons were full of theorems and rules, which always had "an exception to any precept". But in crossing the Arctic Circle at 66 degrees 33 minutes North, wherever you have come from, the rule is: "expect change and many pleasing surprises".

You will enter a region that becomes dramatically different. At these latitudes, most of the planet shivers on permafrost in perpetual chills, where not even a tree survives.

Above this parallel is surely not a place for us mortals? More for the likes of polar bears, whiskery walrus or a reporter from National Geographic Magazine. But, not along the coast of Arctic Norway, which is where Mother Nature imperiously calls the shots and breaks the rules in equal measure. Here, the shores are touched by the tenderness of the Gulf Stream. Lush pastoral valleys, well forested, extend north for hundreds of miles. There are flowers, rose and herb gardens,

Curious humps and tumps at Træna.

and potatoes and vegetables. Here are lifestyles and forms, where they should not be. Temperatures climb in summer to 75°F/23°C and even higher, but never get that dire in winter, except inland.

The crossing of this latitude into the Arctic rim, whether by bus, car, charter coach, camper, on foot, horseback, plane, train, coastal steamer or skateboard, should be celebrated and discoveries anticipated.

There are days that have no light and days that last all night. Wintertime darkness can last for more than two months, whilst night takes flight altogether for the same period, under the midnight sun. There are skies that silently explode with a firework fiesta from the Aurora Borealis. There is an enchanting indigenous nomadic people, who live in tranquility with nature, still regarding "the sky as their roof". At these latitudes, all people seemingly co-exist in peace.

Walk around the world on the 70th parallel and not a conflict is encountered!

Here, close to the "top of the world" at North Cape, our globe appears flat. It would have been the perfect place to have challenged Galileo with his "world is round as an orange" theory. For those visiting from nations "clinging to the side" of the planet such as America, Japan, continental Europe etc, this is most noticeable during the weeks of the midnight sun.

At North Cape, you can look straight ahead and point your finger, and say; "the North Pole!" Then with a flourishing wave to the left say; "Over there, but well south, Canada and all of Alaska!" Then to the right, "the north of Siberia."

For our travel into Arctic Norway I have chosen the most ancient highway; the sea. Since megalithic times, some 10,000 years ago, it appears to have been "Highway One" and still is. This trading route of long-gone peoples became the

Lighthouses guide the paths of vessels plying the island-speckled Helgeland coast.

trail of the Norsemen and the Vikings. It was the road that brought Christianity with Olav Tryggvason in the 900s, which was not adopted in the north until hundreds of years later. The journey was first tabulated by Ottar in the 10th century. Trade was flourishing in fish, fur and feathers (eider down) from the region and Russia to the south and onwards to the rich markets of France, Germany, the British Isles, Spain, Italy and the Levant.

This voyage will take us from the North Sea through to the Norwegian Sea and the Barents Sea on a northbound vessel of the *Hurtigruten*. We will step off at all ports, in all seasons and in all weathers to discover the wonders, nature and lifestyle of Arctic Norway.

The chilling
beauty of the
Norwegian Arctic
winter at
Hamnøy.

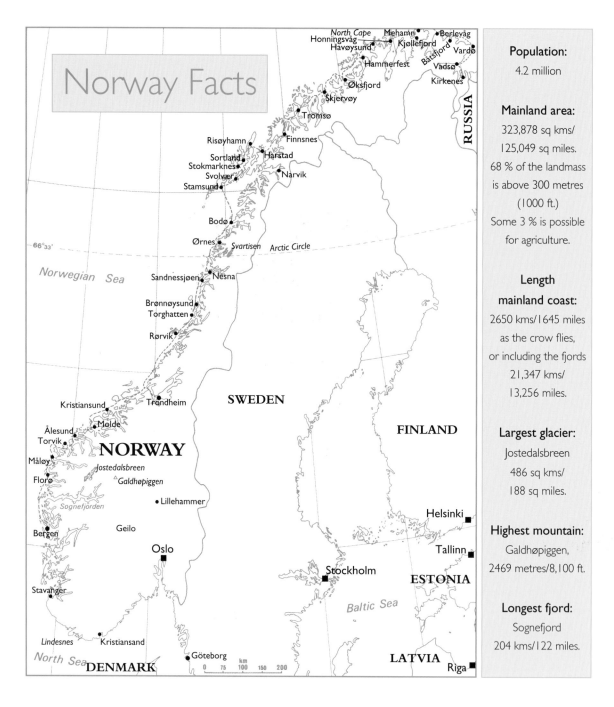

Norway Facts

North Cape Mehamn Berlevåg
Honningsvåg Kjøllefjord
Havøysund Vardø
Hammerfest Bátsfjord Vadsø
Øksfjord Kirkenes
Skjervøy
RUSSIA
Tromsø

Risøyhamn Finnsnes
Sortland Harstad
Stokmarknes
Svolvær Narvik
Stamsund

Bodø

Ørnes Svartisen Arctic Circle

66°33'

Norwegian Sea

Sandnessjøen Nesna

Brønnøysund
Torghatten

Rørvik

SWEDEN

Kristiansund Trondheim

Ålesund Molde
Torvik

FINLAND

Måløy NORWAY
Jostedalsbreen
Florø Galdhøpiggen

Sognefjorden Lillehammer

Helsinki

Bergen Geilo

Oslo Tallinn

Stockholm ESTONIA

Stavanger

Baltic Sea

Lindesnes Kristiansand

Göteborg km
North Sea 0 75 150 200
100
DENMARK LATVIA Riga

Population:
4.2 million

Mainland area:
323,878 sq kms/
125,049 sq miles.
68 % of the landmass
is above 300 metres
(1000 ft.)
Some 3 % is possible
for agriculture.

Length
mainland coast:
2650 kms/1645 miles
as the crow flies,
or including the fjords
21,347 kms/
13,256 miles.

Largest glacier:
Jostedalsbreen
486 sq kms/
188 sq miles.

Highest mountain:
Galdhøpiggen,
2469 metres/8,100 ft.

Longest fjord:
Sognefjord
204 kms/122 miles.

Vessels of the Hurtigruten are hugging the coast day and night the year round.

# 100 years of "the Fast One"
## Hurtigruten – the Norwegian Coastal Express

For the past century, Arctic Norway's main connection with the world has been the Coastal Express or *Hurtigruten*; a 2500 mile round trip voyage that has no beginning or end. Ships that sail in all weathers, up and down the latitudes in an 11-day rota stopping at some thirty ports, turning in Bergen in the south and Kirkenes on the Russian border in the north.

The mountain peaks of Vesterålen blush pink as they welcome the first sunrise after sixty days of winter darkness.

Each vessel makes some 30 voyages, averaging 75,000 miles a year. To coastal communities, the arrival and departure of these ships still means "everything" from ferry, trampship, paquet and mail boat, ambulance to wedding carriage, even prison van, plus supply ship. For the overseas visitor, Hurtigruten is an astonishingly beautiful voyage that will be the ultimate kick for the scenery addict. It will also give a vivid glimpse into Norwegian life.

The Courvoisier Book of the Best is lost for words. It simply calls it "the world's most beautiful voyage". The Wall Street Journal was more imaginative, comparing it to cruising amongst the Rockies or Swiss Alps. Most of the journey is spent weaving through countless channels and fjords to a non-stop backdrop of mountains, behind which are more mountains with glaciers, forests and lakes. Over a quarter of a million islands, islets and skerries will be passed.

During the morning of the third day, with the 1 200 ft/700 metre Horseman mountain in sight, the Arctic Circle is crossed. A time for celebrations. King Neptune gleefully christens "first timers" with an ice cube down their shirt. On land, the northbound trains blast their sirens, whilst on the highway, cars and charter buses stop to visit the Arctic Circle Centre.

Ahead lie Helgeland's 6 000 islands, the Saltstraumen maelstrom, the world's largest, on which Edgar Allan Poe based his book of the same name. The list of wonders is endless. The Lofoten islands. Tromsø, the capital of the Arctic. North Cape and the barren tundra-like coastline to Kirkenes.

You will be genuinely welcomed with friendship by the people of the North. You will explore inland, meeting the North Norwegians, discovering their lifestyle whilst seeing the sights and nature.

Hurtigruten vessel, undeterred by a squall, keenly thrusts
her way north

# "Summer nights and smooth water"

*Knut Hamsun*

Passing the Arctic marker, the ship steadily ploughs along the Nordland coast. Islands and skerries dot the seascape, while landwards the shoreline is continuous mountains.

This region is the slim "waist" of Norway pressed between the sea and the Swedish border, which at one point narrows to just 6 kms (less than 4 miles). Into this are squeezed some 28,000 lakes and 300 rivers divided by the great Svartisen glacier covering 369 sq kms/142 sq miles. The Saltfjell mountains are the end for many decidous-zone trees, being replaced by pine woods; a habitat for beaver, lynx and eagles. There are also riches underground; gold at Bindal; semi-precious stones and coveted rose marble at Fauske, a stone which graces the UN Building in New York and the palace in Tokyo.

The crossing of the Arctic Circle has left behind the 200-year-old farm of Hildur's Herb Nursery, which offers a hundred different rose species, some going back to Napoleonic times. It is here that one can toast the Arctic adventure with Norway's only wine. Also behind, are the mountains of the Seven Sisters and of Torghatten that featured in the legends of a long gone Troll drama that stretched over hundreds of miles of coast as far as the Lofotens.

Nordland's scenery and natural phenomena, whether the flower-festooned Junkerdalen valley, glacier or maelstrom, have attracted many writers, including in the 17th century the local clergyman Petter Dass and later Edgar Allan Poe. This was also Knut Hamsun's world with his much-loved home on Hamarøy. His later books Pan, Benoni and Rosa, Vagabonds and Growth of the Soil, delved deeply in

During a legendary battle of troll giants, the island of
Torghatten was pierced by an arrow, making a
tunnel through its core.

*Nordland's tranquil pastures*

a fairy-tale manner into the moods and dimensional beauty of Nordland's nature.

Heading on, the ship passes many picturesque villages, now in a time warp. In the 1800s they were hectic trading posts or mariners' relay stations, calculated to be a day's sailing apart with a "jekt" boat. If passing the island of Lovund on April 14, look out for the annual arrival of tens of thousands of puffins that have clouded the sky at 6 pm, "on the dot" as long as islanders can remember... so they say!

Bodø's looks are deceptive, the town having been rebuilt out of necessity rather than architectural aesthetics after the blitz in 1940. The rail depot is the end of the line for one of the world's most spectacular and great rail journeys – perhaps the different way home.

Sheep on their way to fresh island pastures.

Forests, mountains and lakes typify Nordland.

"Full many a flower is born to blush unseen,
And waste its sweetness on the desert air."
Thomas Gray (1716-1771)

Wildflowers are a crown to life.

*W*hen the *"winter spring" of May has emptied herself of frost and snow, summer enters with an explosive cocktail of wild flowers: alpine, arctic and temperate species burst into bloom. For Norwegians, one of their finest sights is the wonderland of colour including cyclamen in the Junkerdalen valley. The constant double-daylight makes up for all the "lost" time. Even strawberries that might have been under snow at the end of May will be on the table in the early weeks of July. Amongst the first of the wild flowers to open are the purple saxifrages brightening the austere rock faces. Later the ground becomes covered by yellow wood violets, gentians, anemones, cowslips, crane's bills, dandelions and harebells, then foxgloves, followed by rosebay willowherb.*

*In domestic gardens, the hardy roses will have made it through the winter and be sprouting lustily before the daffodils burst in early June, almost at the same time as nursery-grown geraniums are planted out in window boxes.*

Arctic Poppy
Harebell
Purple Saxifrage

23

# Would you take fish to the Lofoten Islands?

Sailing from Bodø on a clear afternoon, a jagged wall of snowy mountain peaks stretches across the horizon. The 200 mile strip of mountains rooted in the sea are the Lofoten Islands. The crossing of the Vestfjord will take some five hours. In June one might see whales and dolphins. The first real sight of Lofoten, is sliding into the narrow sound at Stamsund. The shoreline is packed with wooden-frame structures for drying stockfish. Between January and May they will be draped with cod and look like Balinese leaf huts. If the Vestfjord crossing was rough, the queasy sailor will be encouraged to know that it will be smooth sailing all the way to Harstad.

The earliest signs of mankind on Lofoten date back 6,000 years or more. Their activity was then fishing; today it is still fish, although there are strong archeological signs of grain growing by the Viking farmers. The fishing season from January to March still sees thousands of boats coming to one of the hemisphere's great breeding grounds of the cod. Then, just as now, vast quantities of air-dried fish (stockfish) were sent away to foreign markets in Russia, Eastern Europe

When the cod arrive with the new year chills, so do the fishing boats.

25

Stockfish hung out to cure in the crisp air.

Next page: Summer temperatures often soar through the seventies ( 70°F or 20°C) and give the Arctic beaches a Mediterranean ambience.

and the Mediterranean countries.

This is a narrow line of islands. Many are simply mountains anchored in the sea. Others have spacious shorelines, hidden bays with sandy beaches that look tropical against shimmering blue waters; perfect for a bronzing tan, from the strong Arctic sun.

To the far west lies a peppering of islands – Røst, which like Værøy are so favoured by birdwatchers, who come to see the cliff colonies of puffins and guillemots. After calling at Svolvær, the ship will crawl through channels with strong currents, the most famous and spectacular being the Raftsund that leads to the Troll fjord. Here, in 1880, the fierce battle between local fishermen and steamship fishers from the south, was a bloody melee that has become part of national history.

There are many ways to enjoy the Lofotens – by bike, horseback, sailboat, canoe or deep sea raft. One can rent a refurbished fishing cottage, a *rorbu*, then climb mountains, ramble, observe the unique flora, watch whales or sea eagles. For the more gentle minded, there are art and photo galleries, historic Viking sites, interesting handicrafts and even a Dolls museum to be visited before passing on to Vesterålen.

Centuries old "rorbus", the traditional "home-away-from-home" available for the visiting seasonal fishers.

Jonathan Livingstone Seagull is never far away

The clownish puffins. Colonies with over 10,000
pairs are thought to breed on the islands of
Lovund and Røst.

*C*ruising along the coast, the ship will
pick up the most faithful of all
travelling companions—the seagull. There
is hardly a moment, when one of "Jonathan
Livingstone"'s family is not whirling around the
wave crests or gliding behind the ship.

*The Arctic seas are rich in birdlife with some 6–7
million breeding in Norwegian waters. There are
world-renowned bird colony islands with over
10,000 breeding pairs, such as Røst or Lovund.*

*On island cliffs and stacks, puffins, kittiwakes, guillemots, gannets,
auks and cormorants will be sorting out territory to unharmonious
concerts of shrieks and calls. There are plenty of bird species that
can easily be spotted along the coast. The huge sea eagles with a
wingspan over six foot/two metres quarter the skies. In the ports,
you will see loons and gaggles of eider ducks, whose nesting down
is traditionally used in bed quilts.*

Eider and king eider duck scuttle about in the northern harbours. Their
nesting down still fills a few quality bed quilts.

# Elves, strawberries and siestas!

Vesterålen is a much lusher island grouping. There are settlement ruins reflecting 6 000 years of agricultural heritage and a giant bog from which peat is exported. Legends and fairytales abound, like the wood nymphs of Alsvåg or the curious "marmæl", a tiny elf that came up in the crook of a fisherman's hook. His kindness in returning His Littleness to the depths has always meant bountiful fishing for Skogsøya. There was even a real giant in the 1800s, who stood nearly nine feet tall!

Andenes at the tip of Andøya specialises in whale-watch safaris. From June onwards the mighty Moby Dicks – sperm whales – rove this coast, breaking the wave tops with their water spouts in between their forays to the deeps to lunch on octopus. On the mainland coast south of Narvik lies the Tysfjord, another but more "secret" whale-watch paradise. In the autumn, beneath the shadow of Mt Stetind, as many as 500 killer whales make it their domain until the new year.

Narvik, the ice-free port so essential for the export of iron ore coming across the mountains from Sweden, is bypassed by Hurtigruten. In 1940, the world focused attention on the town, as the seemingly invincible German war machine suffered its first defeat. The victorious mixed forces of Norwegians, Poles, British and French, after this morale booster, were then withdrawn.

Harstad is an inspiring centre for culture and business. The concert hall puts on some 200 events a year, whilst the oil and gas finds in the arctic seas are attracting the multinationals. The town's history is best seen at Trondenes church built in 1250 with eight-foot thick walls, many with early chalk frescos. Harstad is also synonomous with the sweet fat strawberries grown on the slopes of Kvæfjord. Here rests what was once the world's largest gun. It could shoot a 1 300 1b/600 kgs shell

Not the " little house on the prairie", but a farmstead near Andøy.

some 61,000 yards/56,000 metres and break all the windows in town.

Towards Finnsnes is the island of Dyrøy. In 1933, before furs were forced out of ladies' closets, the fashion world was astonished with "platinum" fox, bred on the island. A coat was graciously worn by Mrs Eleanor Roosevelt. Another island is Senja, the second largest and considered Norway's most beautiful. The outer limits to the north and west are dramatic, "fishboned" with fjords amongst wild mountains. At Gryllefjord, every day at 1pm the district closes for a most non-Scandinavian

Oceans of wild flowers explode across the arctic regions of Norway to signify the arrival of summer.
Next page: Southbound from Harstad, a Hurtigruten vessel makes a gentle passage through the Raftsund channel towards the Troll fjord.

practice; the "siesta", an inheritance from the descendants of Spanish mariners wrecked in medieval times... olé!

# The Orcas of Tysfjord

As many as 500 of Shamu's cousins, killer whales, (Orcinus orca)
make Tysfjord their home from October until the new year. Locals
can watch their cavortings from the comfort of their homes.

*L*ate in the summer, the whale aficionado must be in the Tysfjord, south of Narvik. This is the habitat of Orcinus orca, the killer whale, whose lifestyle is still a great mystery.

"I often wonder who is watching whom," says photographer Asgeir Kvalvik, who gazes at their cavortings in the waters from the front windows of his home.

Until the new year, as many as 500 of these interesting and sociable creatures, the largest some 10 metres / 30 feet long, make the fjord their home, gorging on herring. Professional observers, who usually have to suffer the rigours in some remote spot, can watch this rare sight in equally rare comfort, just like Asgeir with his family and neighbours in the hamlet of Kjøpsvik, who delight in the orcas' hilarious play.

Moving in pods (family groups) ranging from five to fifty, to a constant babble of clicks and chatterings, they display a previously unobserved way of catching dinner. The fish are rounded up into a tight spiral until they forcibly "explode" out of the water. Then the Orcas charge in, for a chow-down in a melee that also attracts the gulls and sea eagles.

"Black gold"! Norway is now the world's second largest exporter of oil.

*H*ow come this nation enjoys one of the highest standards of living? Beneath its seas lie the great fossil fuel resources of oil and natural gas. The continental shelf in the south is already supplying 3.5 % of the world's needs. Now the focus is on the Arctic seas, not only on oil, but also natural gas with most countries in northern Europe as willing customers.

On land, forestry, mineral mining, aluminium and aggregates still maintain their importance and are in demand by world markets. However, much of the national economy remains tied to the sea, with shipping, ship building, fishing and fish farming.

As the economy grows, unique technological expertise in specific fields is now in world demand, such as hard-rock tunneling, fishery, environmental and forestry management; all contributing income to the gross national product. Over the next ten years, far more Norwegian products are expected to reach the lives of millions elsewhere.

Salmon from fjord farms like these find their way to tables around the globe.

# Encore

*The tranquility of Arctic life attracts composers, painters, poets, musicians, writers, playwrights, photographers and sculptors. Life in the "boonies" has always nurtured artistic creativity but rarely do such places have a ready and appreciative audience to enjoy their work.*

*The concert hall in Harstad reflects the interest in performing arts. It stages some 200 events a year with concerts from Tina Turner to Tchaikovsky, plays, opera and ballet. Across the North, people want more. Tromsø has progressed from string quartets to having its own symphony orchestra. At local levels, jazz bands, music groups, amateur dramatics, puppet shows, ballet and dance schools thrive.*

There is always music in the air.

# The city with the most northerly "everything"

If the world were to see another California style boom but on a lesser scale, then Tromsø is the "next place to be". This vibrant small city of some 53,000 people was once known as the Paris of the North. It is the "gateway" to the Arctic and its "capital", with the most northerly "everything", from university and hospital to brewery and Chinese takeaway. Whatever life's needs are, they can be found in Tromsø's shops set on snow-free, heated sidewalks.

Our vessel arrives in the early afternoon. None of the city's twenty or so "nitespots", will be open, but some of its seventy taverns, will be. A glass of draft Mack beer from the local brewery founded in 1877, at the Skarven pub on the corner of the dock beneath Amundsen's statue, is as important a

"The Paris of the North". Tromsø, the so-called capital of the Arctic.

40

The Skarven, probably the most famous of Tromsø's many taverns. Ernest Hemingway, were he alive, would insist that you enjoy a glass of Mack beer from the world's most northerly brewery.

"must do", as sipping a dry martini in the American Bar at the Savoy. In May, the traditional dish of seagull eggs should accompany Mack's amber nectar.

Across the water the Tromsdalen church, known as "the cathedral of the Arctic" stands as the city's hallmark. In 1994, Tromsø celebrated the 200th anniversary of its charter, yet its history stretches further back. It was probably the home of Ottar, the great Viking trader, who had his activities chronicled when he visited England's King Arthur in 890 AD. The documents are now in the British Museum in London.

Tromsø's offerings to the sightseer are impressive. The old customs dock houses the Polar Museum that reconstructs with tableaux and genuine artifacts what life was like for the trappers, whalers, sealers, explorers and adventurers from the 1700s to the turn of the century. The Tromsø museum explores all of North Norway's history, nature, fauna and flora, geology and archeology. Of particular note are the displays of Saami culture and lifestyle. The museum also outlines the work being done on polar research, ecosystems in the arctic seas, plus fishery management and other environmental issues. The Northern Lights Planetarium offers a spectacular show on the Aurora borealis.

Much of the local economy is based on fish. The appalling odour from the cod liver oil tanks that seeps downtown on the westerly wind means, according to hearsay, "money". Tromsø appears to have much prosperity. The shipyards bristle with work, whilst the government administrative departments spread with the ease of self-perpetuating spinach, seemingly with funds to attract more hi-tech industries and skilled people.

Runners in the international Midnight Sun marathon dash across the bridge. In the background the Tromsdalen church, known as the "Arctic cathedral".

Gods of the North

The wooden churches sparkle like Jewels amongst frost and snow.

*D*uring the past 10,000 years, God has been here in many forms. Today this is reflected in Tromsø's enthralling "cathedral of the Arctic".

The old spirit beliefs of the early people, the Komsa, are lost, though mystery pillar stones and labyrinths testify to places of worship. The earlier practices of the Saami, who like other Norwegians are mainly Lutheran, have become "hazy", yet many natural rock formations associated with offerings are still respected. All traces of Odin, Tor and the thunderous ways of the Gods of the Vikings in their Sagas have vanished, save for runic stones.

Christianity arrived in Trondheim with Olav Tryggvason in the late 900s. By 1250 the gospel had crossed into the Arctic rim. Unlike in western Norway, the "pagoda" style of the wooden stave churches has not survived in the north, but across the region are many enchanting churches and chapels with lovingly-painted interiors to which the visitor is welcome.

A mystery pillar stone of a bygone people from the Stone Age.

# Never wave, they might take you away!

D o not even think of waving to the celestial firework display of the Northern Lights – the Aurora borealis. According to legend they might take you away! No better place to watch their lazy swirling zig-zags than in Tromsø, where they appear to emanate from Mt Storsteinen to dance over the Cathedral of the Arctic.

What are they? There is no concise explanation that will make anyone much the wiser. Sufficient to say; sunspots or solar wind, charged particles, hydrogen gas, the Earth's magnetic field, electrons and the quantum leap!

Hoping to find further explanations, are the Tromsø Observatory and the Andøya missile range, that sends rockets into the ionosphere for closer research. For us, they are just another natural "blockbuster"; but remember, never wave to them!

A cascade of celestial fireworks from the Northern Lights shimmers above a lavvo, the traditional house tent or tepee used by the Saami.

# Alta and the Finnmark Plateau

The Hurtigruten no longer calls into the Kåfjord that once hid all 44,000 tons of the German battleship "Tirpitz". A walk along the hillside overlooking where she lay, reveals lumps of metal, evidence of the Allies' determination to destroy her by bombing and a midget-sub attack. Two Victoria Crosses, Britain's highest medal for valour, were awarded to the Royal Navy's submariners. Alta was burnt to the ground by the retreating Germans in 1944, with only the church left intact. Even the almost inaccesible Northern Lights observatory, 3000 feet up on Mt Haldde was destroyed. Today, Alta appears as a sprawling township of residential areas with many activities related to the Finnmark plateau; the quarrying of slate, mining that once included copper and the famous Alta river salmon.

The Hurtigruten's nearest call is now at Øksfjord some 2 hours' drive away, where one can glimpse part of Øksfjordjøkulen glacier, the fifth largest in Norway.

Finnmark has around 60,000 lakes and fifty notable salmon rivers, particularly the Alta, where many sections belong to an international brigade of enthusiastic American, British and German fly fishers. The hinterland has a few austere mountains giving way to a high rolling plateau which, with its desolate beauty, is home to the indigenous Saami.

Their centres of Masi, Kautokeino on the main highway to Sweden, and Karasjok on the Finnish border maintain the Saami culture and language. Karasjok has a Saami TV and Radio station with a parliament that liases with Oslo on all their needs and opinions. The museum outlines their history, whilst the Culture Centre offers skilled quality handicrafts made from reindeer skin, leather and silver.

The highlight for this people are the Easter festivals in Karasjok and Kautokeino, a time for weddings, dancing, reindeer-sled racing, joiking, music, story telling and art; a total expression of the Saami way of life.

For anyone with the explorer in his soul, new developments in tourism can mean the opportunity to join the Saami to pan for gold, stay out in lavvos, round up reindeer, canoe the rivers, trek across the plateau from mountain inn to inn, fish for trout, salmon and char. In the spring months between late March and May, a season normally of sunny days, exhilarating crossings of the plateau can be made on snowmobile and dog sled.

Even as far north as this, "make hay while the sun shines" applies. Who would have thought that the Øksfjordjøkulen glacier is a natural farmyard backdrop!

# When Man was Naught

Norway does not have many "glories" from the Middle Ages compared to the rest of Europe. Instead its Arctic is one of the world's richest territories for artifacts from the Stone Age people, who swept in after the last Ice Age 10,000 years ago.

Geologists are currently reappraising their calculations, as many Stone Age settlements appear to pre-date the last retreat of the ice! The Sarnes site, at North Cape, is just one example. Throughout the north, signs of Stone Age man and Iron Age man abounds, with rock carvings, cave paintings, middens, pillar stones and settlements. On Sørøya some fifty archeologists have been digging since 1990.

The 4000 rock carvings in 11 acres in Alta, now protected by UNESCO's World Heritage Project, are just a "morsel" according to the museum's curator, Hans Søborg. These carvings of varying ages depict much of day-to-day life between 6 000 BC and 2 000 BC. They tell a great story of hunting and fishing with spears, bows and arrows, harpoons, traps and crude bone hooks. There are also depictions of dances, ceremonies, processions, numerous boats and animals such as bears, elk and reindeer. Who drew them – and why? That is another puzzle.

Amongst the 4000 rock carvings so far discovered in Alta, scenes show how mankind's life was some 6000 years ago. The finds are regarded as a world heritage treasure and are protected, like the pyramids, by UNESCO.

> "The sky is my roof with the sun
> my father ever watchful above".

*Nils Aslak Valkeapää .*
*Saami poet·*

*The Saami have been living on the Finnmark plateau since time immemorial. Are they the descendants of the hunter gatherers, the Komsa, the first people thought to have populated the north after the retreat of the ice some 10,000 years ago? No one quite knows the origin of these pastoral nomads. Their history was never written down. They jealously maintain their identity, their language, ways, traditions and culture, which over the past few hundred years has not always been easy.*

*Today, there are some 30,000 Norwegian Saami out of a total of 50,000, with others in neighbouring Finland, Sweden and Russia. Many have merged into "modern" life, with probably more living in Oslo than in Finnmark. Some proudly maintain their herding way of life in centres such as Masi, Kautokeino and Karasjok, where today they have been granted their own parliament and celebrate their great festival at Easter.*

The Saami stick to their traditional clothes, language and culture.

# "My home is in my heart
– I take it with me..."

*Nils Aslak Valkeapää*

The northbound steamer docks at Hammerfest at eight in the morning. The world's most northerly town chartered in 1789 at latitude 70° 39' 48" N is some 300 miles into the Arctic rim. It was the first in Europe in 1890 to have electric street lights, using power from its own hydro-electricity plant. For a town that has 64 days darkness between November 21 to January 23, the idea must have been most welcome.

The world's largest fish finger factory graces the harbour. A globe statue on the promontory opposite, commemorates the international Geodetic survey that determined the shape and size of the world in 1852. There is also a church with accomodation built-in, like a hotel, for parishioners, should they become stormbound after their devotions.

In 1890, the wood town accidentally burned to the ground, a catastrophe that was deliberately repeated some fifty years later in February 1945 by the retreating German forces, who left only a chapel intact.

In summer, reindeer can be seen being shooed away from window boxes and gardens by irate townspeople. For hundreds of years, the Saami with their reindeer herds have crossed the Finnmark plateau from Karasjok to the Hammerfest region and the neighbouring islands for summer pasturing. Around 100,000 beasts will be

Hammerfest, the world's most northerly town led Europe in 1890 by being the first to have electric street lights.

54

driven across the snowy plateau before the lakes thaw in the "winter-spring" of May, then back again in late September to the Saami capital of Karasjok near the Finnish border. Expensive bridges will not do here; the reindeer will be "swum" as they have always done, making an awe-inspiring sight.

Hammerfest is a gateway for forays onto the Finnmark plateau, the last great wilderness in the European continent covering some 9,900 sq miles/25,860 sq kms. It is a region of low rolling whaleback mountains with high tundra, split by rivers and lakes, dotted with thickets of wizened birch trees. The barren looks belie its riches. In late summer, the bland-looking ground vegetation is full of edible mushrooms plus cloudberries, blueberries and cranberries. Waters abound with trout, char, salmon and sik. All manner of minerals are to be found, even pannable gold. Mosses and lichens sustain the only domesticated animal to survive the winter in the open at these latitudes, reindeer. The region is also an archeological treasure house of bone and shell middens, rock carvings and stone circles awaiting investigation. It is in addition home to the Northern Saami, the indigenous pastoral nomads with all their mystery.

Stabburselva, Finnmark

To the left: Cloudberries, the most treasured and tastiest of all Finnmark's wild fruits.

Above: Life "on the range" for the Saami reindeer herders. The only shelter on the snow and frost bound plateau is still in the lavvo, their tepee. Here the fire crackles with pots of thick coffee and stew always waiting on the open hearth.

Next page, upper right corner: One of Santa's little haulers - the reindeer.

Next page, in the middle: New bridge or none at all: the Saami still swim their herds across to the islands for summer grazing.

Next page, lower right corner: Like for the cowboy, the headgear is all important. A Saami herder in his "hat of the four winds".

# The last of the great cattle drives

*F*or *Kirsten Berit Gaup, a Saami widow and her family, May
and September are the busiest months. This is the time she
moves her herds some 250 kms/150 miles from one side of the
Finnmark plateau to the other. In the "winter-spring" of May, before the
lakes unfreeze, she will herd thousands of reindeer and calves. It would
be impolite to ask "how many?" and likely to solicit the terse response
"Do I ask you how much money you have"? She and her herders will
round up by snow scooter, a concession to modern life, and then adopt
the old nomadic ways. Living will again be in "lavvos", where the fire
will burn, and thick strong coffee will brew to a "stew", while the diet
will be reindeer meat. For furniture there will be birch twigs laid on the
hardened snow, upon which reindeer skins with their air-pocket hair will
be both carpet and mattress. In the autumn the herds will be rounded up
again and swum back from the islands.*

Norwegians love their outdoors and consistently like to proclaim it.

# The Norwegians' love of their great outdoors

Supposedly, all Norwegians are born with skis, before being weaned to backpacks and walking boots! No other nation seems to lose itself in the outdoors in both summer and winter as they do. Most families seem to have a country hideaway, either a mountain or a seaside cabin for weekends and vacations.

The rock carving of 2 000 BC at Rødøy, depicting a Stone Age skier, confirms Norway as the birthplace of skis. Unlike in the Alps or in Aspen, skis are used for getting around, as well as for all the downhill sports at the resorts.

The Arctic winter, after the dark period, is a time for getting out and about. Cross-country skiing and snow-scootering (now regulated because of environmental disturbance) are popular, while the "mush, mush" cries from dog sledgers are growing. The "Finnmark 1 000" (600 mile) dog-sled race is a highlight where competitors may stay out on the Plateau for up to a week.

Other winter pursuits are mountaineering, ice fishing for the tasty char, and most of all, appreciating the wild beauty of the winter.

# The route to China

In 1553 Richard Chancellor sailing on the "Edward Bonaventure" in search of a short sea route to China, naming "North Cape" on the way, and proclaiming it the most northerly headland, at latitude 71° 10' and 21". He was searching for the fabled "North-east Passage". Today the route could become a reality as Far East trade and shipping interests study the feasibility of sending merchant ships through the ice behind a battery of ice-breakers, a journey that would save weeks in getting goods between Europe and America's eastern seaboard.

North Cape with its famous horn, once sacred to the Saami, has long been the ultimate tabernacle for the traveller. The Bourbon prince Louis Philippe of Orléans came in 1795, and later when king of France, despatched the "Recherche" expedition in 1830 for a survey. Over two hundred plant species were identified, including two orchids unique to the Cape and temperate zone flowers such as forget-me-not, golden rod and crane's bill. The visit of King Oscar II in 1873 brought North

Left: The most northerly headland in Europe has enticed travellers for centuries.

Right: After Louis Philippe of Orléans made North Cape fashionable in 1795, it became the ultimate "tabernacle" for travellers throughout the 1800s.

Barren and desolate it may seem, but some 200 plant species including orchids and temperate zone plants have been identified on North Cape.

Cape to the attention of Mr Thomas Cook. Since then, travellers have gravitated to what the Italian explorer Guiseppe Acerbi described as "barren, desolate and dismal". In spite of this comment, over 250 books were published on North Cape in the late 1800s, outside Norway. The American poet Henry Longfellow waxed in prose "...That huge and haggard shape of that unknown North Cape...". Today it would be unrecognisable with its underground visitor centre, with displays, galleries, tableaux, chapel and viewing platform.

A much harsher coast of weather-beaten rocks fronting low mountains is seen as the voyage turns east and south. This is the region of "short-cut" winds: icy blasts that cut through one's body, rather than go around. In winter the wave tops are blasted into powdery ice crystals and ships turn white from the frozen spume.

The beautiful Porsangerfjord is dotted with skerries and like the neighbouring Laksefjord and Kongsfjord deserves to be seen for its varied geology and fossils. The ports are not picturesque, most having been destroyed in the war and quickly rebuilt. Docks are fronted by ugly fish-processing plants. Behind these communes is concealed a wilderness of nature that few but locals visit. Sights and curiosities are few. The medieval fort at Vardø guards the town's only tree – a rowan, which is delicately swaddled each winter. At Vadsø, the mast connected with Roald Amundsen's and Umberto Nobile's airship flights to the North Pole in 1926 and 1928 stands as lonesome memorial.

"I give you the sun, my sweetest and dearest... but only at midnight !""'

# Land of the Midnight Sun and Starlit Noon

Ola Røe, the photographer, perceives the seasons to be in the sky rather than on the land. The dramatic changing lights and moods make for eight distinct periods as the world tilts "to, through and away" from the rays of the sun.

For over 60 days in summer the sun will not set at latitude 71 in Honningsvåg. It may of course hide behind clouds, but the daylight will always be there and it is quite normal to see locals mowing lawns, fixing a car, or sitting outside at midnight.

In winter another story unfolds, but not before the leaf tints from the yellowing autumnal light give way to what Røe calls the "blue period", as the "top of the world" tilts away. The sunrays pass directly into the stratosphere, reflecting an iridescent blue twilight onto the landscape. Then comes the "dark period" of starlit days, when the metabolism slows and folk feel tired and heavy. When the sun re-emerges above the horizon in the third week of January, children greet its return with waves and cheers. If it is seen and not hidden by clouds, the schools will close for the rest of the day.

The dramatic blue light of a few hours in winter adds to the shivers.

The Coptic chapel at Neiden has room for neither priest nor congregation. Services are held outside.

# The multiple cultures of Neiden

Welcome to Neiden, a meeting place of different faiths. Throughout the 1800s the Nordic nations contested the region through building their own churches. Religious allegiances to the Russian-Orthodox faith, or a Lutheran branch belonging to the Danish-Norwegian, Swedish or Finnish churches, were associated with nationalistic aims. At Neiden, all cultures merge.

The most romantic chapel is the tiny timber Russian-Orthodox structure of St George, founded by the mysterious St Trifon in the 1500s. Why this saint came north to live in a cave still mystifies. It was either a penance for murdering his beloved or he was just a devout crusader. The chapel (3.5 x 3.25 x 2 metres/11 x 10 x 6 ft) with its icon-festooned interior is too small for priest and congregation. Worship has always been outdoors. Now the chapel has one service a year in August, when a visiting priest from Russia also blesses the river.

# As far east as Cairo

The ship docks in the morning at Kirkenes. Unlike vessels of the great unrestricted trading era with Russia, the Hurtigruten will here turn back on her tracks.

At the road entrance to Kirkenes, the signpost states: 2 626 kms/1 575 miles to Bergen, 5 102 kms/3 060 miles to Rome. The Arctic Rica hotel housing the Gorby disco, proclaims; Berlin 3 539 kms/2 134 miles and London 3 407 kms/2 044 miles. None says, "Russia 10 miles/16 kms" or that Cairo is on the same longitude!

This is a multi-culture/ethnic town in a no man's land of once unwanted territory. Its only use in the 1800s was for levying taxes by whoever felt it might be theirs; Russia, Sweden and Denmark/Norway. An agreement in 1826 made it Norwegian. The descendants of those settler people: south Norwegian farmers, Russians, Finns (Kvener) and Eastern Saami even today give it an independent "frontier" spirit.

At the turn of century, fortune came to Kirkenes with the exploitation of iron ore. Until then, it was a "klondike" for trapping, hunting and fishing, amongst the wild forests, mountains, rivers and marshlands. The last wolves still roam this wilderness, as do bear and wolverine. One of nature's great anomalies is the lush and fertile Pasvik valley. During the last century farmers transformed the landscape into farmlands with pastures, hedgerows and coppice woodlands reminiscent of southern Britain. Horses and sheep graze the fields. By the laws of nature, this soft temperate

In winter a cruel coast of icy blasts and blizzards.

Russian market traders pop over to Norway to sell their wares.

countryside should simply not exist. The river is not only the frontier to the East, it is where the forests cease and the wilderness tundra of the Siberian taiga begins.

Amid this tranquility are memories of the Second World War, when German forces mustered around Kirkenes to advance on the Soviet Union. It was a stalemate campaign that became bogged down on the tundra. Kirkenes suffered some 328 air raids by Soviet and allied forces, but it is the story of civilian survival that is so proudly told. Thousands refused to be evacuated by the Germans and hid in the tunnels of the Bjørnevatn mines, where ten children were born in the Anders-Grotta, where a video tells that story.

Murmansk is 200 kms/ 120 miles away, easily reached in summer by express boat. It is a port with depressing concrete structures and little else to see, but is a thought-provoking experience. En route, the awesome sight of some 600 anchored warships of the former Soviet Northern Fleet reflects the reality of glasnost.

Children at the Russian border post wearing mosquito protection headwear.

The retreat of the German forces was effected with a scorched-earth policy that put Finnmark to flames. Just the church remained at Honningsvåg.

# The War Years

*L*ooking out at the mountains that seem so fresh and pure from the maker's hands, one asks what brought the horrors of war to this region?

Norway agonised for five years under German occupation. In the unemotive terms of history, it was a separate theatre, a bitter sideshow about supplies, "having them or stopping others" on the same quest.

*The beginning in 1940 reflects shamefully upon the allied Governments of Britain, France and Norway. Nonchalance and incompetence coupled with political confusion that ended with abandonment after the recapture of Narvik.*

*The war is part of Arctic Norway's heritage. The Resistance. The blitzkrieg on Bodø. The atrocious prison-labour camps for Russians, Poles and Serbs. Daring allied commando raids. The offensive by 100,000 Germans and Murmansk and its defence. At sea; the sinkings of the Tirpitz and Scharnhorst plus the hundreds of allied supply ships in convoys, like PQ 17. For North Norway, the war ended with the ruthless German retreat that began in the summer of 1944 with a "scorched earth" strategy that put Finnmark to flames.*

*The sufferings of civilians are often forgotten. Not so in Finnmark and North Troms, where today many families have bitter memories of that strategy. Every structure that could provide shelter was targeted for destruction. Out of 15,275 homes and farms that stood, only 2,470 were left. Some 37,000 people were forcibly evacuated south. Another 23,000 people took to hiding in the mountains and caves. Whole communities and towns like Hammerfest, Honningsvåg and Alta, simply ceased to exist.*

*The Russians were hailed as heroes. Unlike any other Soviet-liberated nation, the Norwegians found that the Soviet troops had withdrawn within a year. A move swiftly realised by NATO, who also saw Finnmark as the strategic "fort" between the Atlantic and the then Soviet Union's ice-free ports of Murmansk and Archangel.*

$S$omewhere, they say, in the Pasvik region are a handful of wolves still roaming the great wilderness. No one will say where or how many. The numbers and sightings will vary, depending on whether you talk to a conservationist or a farmer.

The wilds of North Norway are still a region for the brown bear plus some carnivores such as wolverine, lynx and arctic fox. They will prey upon hare, lemmings, the large turkey-like capercaillie

Left: The Pasvik river separates Norway from Russia.

Below: The brown bear.

Right: Wolves are either here or they aren't. It depends whether you ask a farmer or a conservationist.

Below right: The Otter thrives in Finnmark

bird, grouse and ptarmigan. Elk and reindeer also feature on these predators' diet sheets.

Whilst most visitors to the north might not see a bear, keen eyes will spot the playful otter along the fjord shorelines. Unlike in the rest of Europe, the otter thrives.

# Svalbard.
# Only 600 miles from the North Pole!

Such an enticing short distance. One that has spurred and thwarted explorers since the 17th century. Svalbard has a long roll call of honour of polar adventurers; Roald Amundsen, Fridtjof Nansen, Walter Wellman, Umberto Nobile, Adolf Erik Nordenskiöld, Lincoln Ellsworth. Just the sound of their names induces the shivers, without thinking about their exploits on their meagre rations. Today, they could

The silence of the ice floes. Svalbard.

79

have set off from Spitsbergen with fresh eggs and bacon, local home grown Caesar salad and tomatoes, from the archipelago's own hi-tech indoor farm.

Svalbard lies between the latitudes 74° and 81° N and is about the same size as Ireland. For centuries it has been the last outpost of human habitation before the barrier of sea ice. Although well off course from our voyage, it can be reached by scheduled flights from Tromsø. The visitor must be well-organised. A host of regulations for the protection of the delicate ecology and oneself have to be taken seriously. One notice states "We recommend you carry a weapon with a calibre of 7.62 or more on all trips". This is a precaution against Svalbard's formidable "people eater", the polar bear. The young Horatio Nelson who later became Britain's naval hero, nearly lost his life to one in the 1700s! Svalbard's emblem carries the practical motto: "Take care of yourself and Svalbard".

Gruesome reminder of the hunting days in previous centuries. Skeletons and bones of whales and walrus who went into the blubber ovens.

The permafrost, which in some areas has penetrated to a depth of 500 ft, means that only the top surface of the poor soil softens in summer. Even a footprint can last for years. Despite this, 165 species of vegetation manage to survive, with more than a hundred different plants and flowers around Longyearbyen alone.

The archipelago, of which 60 % is glacier-covered, straddles fierce currents. Polar ones with their ice floes mix with the last vestiges of the Gulf Stream, that manage to give a tender edge to Svalbard's climate. Offshore, the seas are rich in plankton and

Longyearbyen. Home lights twinkle like diamonds, but it is the poorer carbon element that islanders have to work for: coal!

fish. Seals, walrus, whales and seabirds thrive with many birdcliff colonies of fulmars, kittiwakes and petrels numbering hundreds of thousands'.

There are no signs of previous indigenous people, but plenty of remains from the hunters, trappers, sealers and whalers who started to arrive from all over, in the 1600s. Well-preserved settlements with artifacts can be found, like lonely huts for wintering trappers, whalers' graves and whale stations with their blubber ovens.

At the beginning of the 1900s, the American businessman William Longyear was one of many who started coal mining, still continued by Norwegian miners and by Russian miners in Barentsburg. The winter months are cold and dark with temperatures as low as −46°C/−50°F and daytime darkness from the end of October until Valentine's day.

Svalbard's most protected citizen, who is also "public enemy number one", the Polar Bear.

# Thanks and acknowledgements

The author wishes to sincerely thank all those who have helped in the making of this book, which has been an absolute joy to research and present. All those listed below played their role in the "team":

Hans Johannsen, SAS Scandinavian Airlines, London; Per Holte, The Norwegian Tourist Board; Jonathan Bouquet; Ivar Hauff, Oslo; Åse Shields, Finnmark Opplevelser; Margrethe Austad, Troms reiser; Gudveig Albrigtsen, Nordland Reiseliv; Tor Mikkelsen, Finnmark Guideservice; Rune Rafaelsen, Kirkenes; Tanja Hegge, Royal Norwegian Embassy, London; Hans Petter Thorsen, Alta; Morten Torp, The SAS Hotel, Alta; Gard Grubstad and Hans Sahlberg, Hammerfest; Hans Søborg, Alta Museum; Nils Opsahl, Grand Nordic Hotel, Tromsø; Dr. Petter Moltu; Hanne Bjelke and Solveig Tornoe Downing, NSR Travel London; Siv Sara, Karasjok Opplevelser.

Further, I want to thank the directors of Top of the World in Tromsø and the shipping companies of "Hurtigruten", as well as Statoil, Harstad and the Tromsø Museum and University. Last, thanks to my friends, the travel writers Tim Fenner, David Kerr and Nigel Tisdall.

# Photographers